First published in 2006 by

Argo Publishing
29 Maryfield Crescent,
Inverurie,
Aberdeenshire AB51 4RB

Web: www.deborahleslie.co.uk

ISBN: 978 0 9546153 2 1

Printed and bound in UK by
Antony Rowe Ltd.,
Chippenham, Wiltshire

Dedication

I dedicate this book to my family and friends and to everyone who has encouraged me to publish this new collection of Doric short stories.

Acknowledgements

With special thanks to the following:

- John Blevins for promotion work.

- Rob Ward for Cover Design.

- Marjory Gibbon Mitchell for proof-reading assistance.

- Don Carney for Foreword.

- My husband, Donald, for everything you do.

Contents

Foreword

The Doric dialect is somethin that his served oor ancestirs weel. It wis used ti spik aboot aathin that folk in the North-east war involved wi. Some say particular Doric words hiv nae direct translation inti ony ither language.

The day, for mony o us, it's still the wye wi spik, bit readin the Doric can be difficult due ti writers nae haein the confidence, the desire or the ability.

Deborah's style o writin is nae rooted in the distant past bit captures aspects o modern-day livin. Her Doric is easy ti read, which is essential. She writes wi a lot o passion and mixes modern aspects o oor technologically-based lives wi the daily routine o everyday things. She can relate ti concerns o auld folk and is jist as at hame deelin wi stories aboot the younger generation. Within her wark, there is nae jist the story bit, hidden awa, there are een or twa thought-provokin, lingerin comments wi their ain messages. These gems, essential for ony gweed tale, can be seen differently each time the story is read.

So, if yi wint ti feel at hame wi readin the Doric, this book will be richt up yer street. In fact, yi micht recognise stories that cud hiv bin written aboot the ordinary folk that bide aside ye. They cud evin relate ti yirsel.

by Don Carney, BA MHCIMA PhD.

Don is known, locally and internationally, for his work in recording aspects of the North-east culture on video, featuring the Doric dialect. He has recorded over 600 hours of unique material.

A Naisty Taste in the Moo

"Fit the hell…" Jack's een war like sassers es he leukit doon it the sheet o heidit paper.

"Fa's at fae?" speered is missus, Doris.

"It's a letter fae Ivor Goodneck, the dintist. Oh! Ah dinna believe ess…"

"Calm doon, Jack. Ye'r gettin affa reed aboot the gills."

"Weel, he canna dee at! It maks ye winner fit folk'r peyin a stump fir. It's bliddy daylicht robbery – at's fit it is."

"Fit is?"

"It says at he's gaun private, an he's invitin's te ging doon an sign oan." Jack furled roon is seat an leukit it the calendar. "It says at staff'll bi available ess Monday comin iv onybody wints te jine up. Bit listen te ess: 'There's expected to be a large demand and places will be limited.'"

"Bit it's Setterday noo! At disna gie folk ony time te think aboot fit they wint te dee."

"Ay, exackly! Bi richts, wi shid'v hid ess letter wiks ago."

"Is ere jist the ae day fir signin up, than?"

"No….bit wi the timin o ess," he raged, wavin the letter abeen is heid, "an the wye it's wirdit, aabody'll bi feart te hing aboot – they'll bi brakkin their necks te git doon ere oan Monday mornin. An jist listen te ess…" He fun is bleed beginnin te bile. "He's expeckin's te bring wir bunk details an pey te register…an syne gie im twalve poun a month efter at."

"You dinna aiven hae twalve pouns' wirth o teeth left in yer heid," leuch Doris. "An the anes at'r aye stannin leuk like a brunt fince."

Jack grinned an steekit oot is tap plate afore sayin, "Ah cud mebbe come roon te the idea o stumpin up a bittie mair eence a ear, bit Ah'll be damnt iv Ah'm gaun te pey oot ilky month fir somethin Ah'm only needin noo an again."

"Se ye'r nae gaun te ging doon an sign oan, than?"

"Am Ah buggery! Ah'v bin a patient o Ivor's near twinty ear, an Ah'm bliddy sure Ah'm nae queuin up fir the privilege noo. Ess cairry-oan's against ma politics – aathin Ah believe in."

"Language, language! Ye'll blaw a gasket, gettin yersel aa wirkit up like at."

"Weel…," compleent Jack, "it's enuch te mak a bodie sweer."

"Ah ken, bit dintists ir like snaa in the Sahara." Doris chaaed er boddom lip. "Fit iv wi'r left wi'oot ane athegither."

"Ah'll tak ma chunces. Naebody hauds *me* te ransom," said Jack, grabbin the letter and leukin ower it again. "Bit fit's raelly gettin ma birse up is the sleekit wye he's gaed aboot it. Ah hid a drink wi im it the golf club laist Setterday an he nivver lut oan. Ah aiven telt im Ah'd seen bi comin in fir ma check-up an he still didna say onythin."

"He'd mebbe jist firgotten."

"Firgotten, my erse. He kent at *ess*," he said, rippin the offendin correspondince in hauf, "wid mak im aboot es popular es a fart in a phone box. At's foo he kept it quait."

"Ah widna like te see ye faa oot wi Ivor aboot ess. Bit iv ye feel at strongly aboot it," Doris smiled and pattit the back o'is han, "Ah think ye shid phone im up an tell im exackly fit ye think."

"Na, na," said Jack, is ill-humour stairtin te subside. "Ah'll sort Ivor oot in ma ain wye; in ma ain time."

"Feartie! You winna say onythin. Ye'r aa spik. The neest time he comes inte the shop fir a haircut, it'll bi, 'Fit like the day, Ivor?' an nivver a myowt aboot fit's happent."

"At's fit you think. Ah'll jist bide ma time – hing fire, like." Jack faaled is airms an grinned. "The early bird gits the wirm, bit it's the second moosie at gits the cheese."

*

"Ye'll nivver believe fit Ah saa ess mornin," said Jack, es he cam in fae's wirk oan Monday suppertime.

"A great lang queue ootside Ivor Goodneck's," said Doris, pyntin the remote it the TV. "It's heidlines oan the News."

"Leuk it em aa. Did they nivver think o pickin up the yalla pages afore they gaed hairin aff doon the road?" Jack snortit in disgust it the sicht o the great line o folk stannin oot in the caal. "Like heidless chuckens, at's fit the are! Ah hope te hell you didna ging doon."

"No, Ah didna. Ah'v naethin against Ivor, bit it's a pynt o principle. Ah'm wi you oan ess ane, Jack."

"It's hairdly oan, ye ken, Doris: dishin oot at letters it sic short notice. Ivor kent fine folk wid jist panic an think they'd bi left up shit creek wi'oot a paddle."

"Ay," leuch Doris, "it's a peety at hairdressers ir nae se thin oan the grun. Ye'r fairly in the wrang trade."

"Is the computer oan?" Jack steed up. "An hiv wi ony o yon heidit paper fir the shop?"

"Ay. Foo?"

"Ah'm nae phonin Ivor," said Jack. "Ah'm gaun te write im a letter insteid."

"Noo, dinna you ging awa an say somethin ye micht regret." Doris leukit kinna panicky. "Ivor hisna deen onythin wrang, ye ken – it's jist a buzness decision. Ye better waatch fit ye'r sayin."

"Dinna you fash yersel, quine," said Jack, disappearin oot the door. "I'll bi verra professional an civilised. Ah'm nae a feel."

*

Later at wik, Jack fussled t'imsel es he gat riddy fir anither busy day in is barber's shop, *Jist the Usual*.

He turnt roon the *'Open'* sign an leent up against the door, smilin es is gaze wannert aroon is empire. *Okay*, he thocht, *the place cud dee wi a lick o pint and a bittie o sprucin up, bit ess wis the wye folk likit it – nae frills; nae cairry-oan; jist a short back an sides it a decent price an aa the claik o the Toon forbye.*

Jack leukit up fae contemplatin the black an fite tiled fleer te see Harry an Mitch Mintie an their pal, Feel Freddie, fa hairdly ivver spoke, comin up the street. The Mintie brithers war rowin roosty pushbikes an Feel Freddie wis comin ahin weerin a reed base-baa bonnet, a suit jaicket an a pair o hauf-mast joggin briks.

Jack liftit a han es is first customers o the day cam tummlin throwe the door. "Jist tak a seat, gentlemen, an Ah'll bi richt wi ye."

"Thunks, Jack," they chorused, sittin theirsels doon afore the mirror.

"Weel, fit is't the day, laads?" Jack tied maatchin goons roon their necks, ariddy kennin the unnser t'is question.

"Och, jist the usual." The Mintie brithers spoke it the same time an Freddie jist noddit an grinned like the feel he wis.

"Weel, fit div ye think o ess cairry-oan o Ivor Goodneck's?" speered Jack, stairtin te snip awa it the edges o Harry's skillfully arranged kaim-ower.

"Nae muckle," he said. "Ah dinna ken fit the warld's comin tull."

"Ay, ye'r nae wrang ere," agreet Mitch.

Ere wis a second's silence afore Feel Freddie leent ower, gied a gummy grin an addit, "It's an effin liberty at's fit it is. Ah heard he's as unpopular aiven is ain shadda's refusin te follae im aroon."

Aabody roart wi lachter, an Feel Freddie leukit fair trickit te bi the centre o attintion afore lapsin back inte's customary silence.

"Ah'v fun masel anither dintist, ariddy," said Jack. "He's a Polish boy caaed Pullzit. He'd a cancellation, se he seen ma richt awa. Appairently, he's gat an affa gweed reputation – folk caa im the 'Painless Dintist'."

"An wis he?" speered Mitch.

"Weel, Ah'm nae se sure aboot at, like – fin Ah bit is thoom bi mistak, he roart oot o im same's onybody else."

The Mintie brithers an Feel Freddie keckled an leuch fir ages tull Mitch finally munaged te say, "Weel, Ah s'pose at helpit keep is fingirs oot o yer waallet fir a bittie langer."

Jack grinned an switched oan is clippers. "Hiv ye heard aboot Big Brenda neest door te me?" he said, booin is heid an gettin te wirk oan Harry's neck. "She's gat ersel a new bidie-in. An aathin wis gaun fine tull she cam hame early an fun im sittin oan the edge o the bed weerin er…"

The gossip deet oan Jack's lips es the door opened an Ivor Goodneck's face appeart roon the neuk o't.

"Jack."

"Ivor."

The lachin and newsin stoppit an the three maanies sittin in the sweevely cheers leukit ower their shooders an treatit the Toon's dintist t'a gweed glower.

"Ony chunce o giein fit's left a quick timmer in aboot?" Ivor rubbit it is baldy croon an leukit es nervous es a turkey it Christmas. He redd is thrapple an kickit it a bittie o curled up linoleum.

"Nuh. Sorry. No can do. Ye can see Ah'm busy eyvnoo, an Ah'v twa wytin. Onywye," said Jack, stridin ower te the winda an pullin doon the 'Walk-ins Welcome' sign, "Ah'v stoppit deein waak-ins. Ye'll need te book."

"Since fan?"

"Since Ah turnt private." Jack smirkit es he gaed inte's jaicket pooch an teen oot a broon invelope. "Ah'v hid te stop seein jist onybody an aabody."

"Eh?"

"Ah clean firgot te tell ye – slippit ma myn, like. Ah wis jist aboot te rin oot an post yer letter fin ye cam in."

"Huh?" Ivor's dial reedened an he didna leuk best pleased.

"Ah'm affa sorry, min, bit ye'v missed my signin-up day. Dinna panic, though, Ah'v aye gat a fyow places left te full."

Harry Mintie made a queer kinna chokin soun, an the ither twa's shooders war shakkin aneth their reed plastic goonies es they tried te haud in their mirth.

"Ye can read it here, iv ye like. It'll tell ye aboot aa the excitin new chynges ye can expeck." Jack cudna leuk it Ivor fir fear he'd lach. He grabbit a brush an stairtit te swipe up the hair fae the shop fleer.

Ivor rippit open the invelope an read its contents. His moo set in an ill-naiturt line an is een nairret. "Is ess your idea o a joke?" he demandit, is neck an lugs turnin purple wi indignation.

"Nae joke." Jack pit doon is brush an leent up against the till. "It's a regrettible situation, like – leaves a bittie o a naisty taste in the moo. Bit it's purely a buzness decision. Fit wi the price o aathin nooadays… weel," he grinned, "ye ken yersel – times is hard."

"Ye'd better sign up pretty smairt," said Harry Mintie, furlin roon in is seat. "Ah'v heard ere's jist a fyow places left."

Harry's twa companions turnt roon te jine im, their faces like tomatas an their een duncin wi excitemint es Jack meeved in fir the kill.

"Lut ma tell ye a bittie aboot the deal," he said, strugglin te keep a stracht face. "Ah'll easy keep clippin yer hair – nae bother. Bit like Ah said, ye'll hiv te sign oan first an syne come back fir an appintmint anither time. Oh, ay, an myn an bring yer bunk details fir the Direct Debit."

"Direct Debit?"

"Ay, sorry aboot at, bit Ah'll bi needin a ten poun jinin fee an twalve poun a month aff yer bunk efter at."

"FIT?"

"Ah'm the best barber aroon, an at reasonable monthly fee'll mak sure ye bide oan ma client list. Ah'm disappintit at Ah'v hid te dee ess, bit Ah'v bin forced te review ma wirkin practice an pricin structure." Jack grinned. "Bit dinna wirry yersel aboot it, though. Things winna bi chyngin at muckle. Ah'll mebbe spen a meenitie langer newsin te ye aboot yer holidays, bit Ah'll bi usin much an such the same kinna stuff – only chairgin ye an affa lot mair."

"FIT?"

"Noo, jist haud oan," said Jack, haudin up is hans. "Ah'm nae feenished." He teen a deep breath es he stairtit is sales speel:

"At monthly fee's nae jist so's ye can bi oan ma list. Ye'll git the hale salon te yersel fir the lenth o yer appintmint – wan te wan, like; they'll bi neen o ess 'waak-in' cairry-oan an expeckin the likes o yersel te sit aside folk at's jist wannert in aff the street; an ye'll git ma undividit attintion an a professional consultation wi ilky veesit."

"Ah think at caain ess place a *salon* is fairly streetchin the imaagination," said Ivor sarcastically.

"Ye winna bi sayin at the neest time ye come in. Ah'm gaun te bi haein a complete re-fit deen. Ye winna recognise the place. *Jist the Usual's* valued an discernin customers deserve the verra best – an at's fit they'r gaun te git."

"Ir you takkin the –"

"Ah'm nae feenished yet – ere's mair!" interruptit Jack. "Ilky time ye come in, ye'll bi intitled te a wee bittie aff a haircut. An syne, fir a sma, additional peymint, ye can tak advuntage o wir polishin service fir the follicly challenged; book an appintmint wi wir Indian heid massage maanie; hae reglar sessions wi wir split-eyn specialist an aiven see a wifie fa'll keep a check oan at recedin hairline o yours. It's aa jist previntative measures raelly – jist te keep an ee oan foo things ir deein."

"Ah nivver needit ony o at cairry-oan afore." Ivor leukit fit te burst. "Ah jist cam in, hid a haircut, peyed an gaed oot again."

"Weel, wi'v aa hid te mak chynges," said Jack, the neuks o'is moo twitchin wi amusemint. "An Ah'm sure ye'll unnerstan at Ah'v gat a buzness te rin an aa."

"Ye canna sairiously expeck ma te pey oot ilky month fir somethin Ah'm hairdly gettin ony gweed o," protestit Ivor, missin the irony o the situation athegither. "Far's the benefit te me?" he addit. "Fit wid *I* bi gettin oot o an arrangemint like at? Ah'v only gat the ae heid."

"Aboot es muckle es Ah'd bi gettin oot o you," said Jack, in a canny kinna wye. "An the laist time Ah leukit – *I* only hid the ae moo."

Duncan's Dilemma

Duncan rung the bell o a hoose in Huntly – wytit twa, three seconds, syne pressed it again.

"Aricht! Aricht! Haud yer horses," said Archie Taylor, yarkin open the door. "It's Duncan Petrie, in't it?" He peered ower the tap o'is glaisses. "You bide neest door te Norman."

"Ah *eesed* te bide neest door te Norman," said Duncan, shovin is hans inte the pooches o'is anorak an leukin aroon Archie's immaculate gairden.

"Oh, hiv ye flitted?"

"No…" Duncan felt a bittie aakward kine an hung is heid, scoorin is feet oan Archie's chuckies. "It's Norman fae's meeved oan, like. He's awa te yon great hoosin scheme upstairs."

"Eh?"

"He's broon breid – deed!" said Duncan, kickin up a shooer o sma steenies es he delivered the news. "The ambulance teen im awa the streen."

"Oh! At's affa!" Archie sut doon oan the tap step, the colour drainin fae's face. "Ah aye sit aside im it the fitba. Wi'v baith a Seasons fir Pittodrie – he nivver misses a maatch."

"Ah kent at, like. At's foo Ah thocht Ah'd jist nip ower an tell ye. Ah widna like ye te bi left winnerin far he wis oan Setterday."

"Peer Norman." Archie sighed. "He wis fair leukin forrit te the big maatch ess wik-en – Aiberdeen's playin Celtic."

"Ay, peer Norman. He likit is fitba. Bit, ye ken, he surely hidna bin feelin richt: he offert ma a shottie o'is Seasons. He wis compleenin terrible aboot sair legs – said they war nae hauf giein im jip."

"By Goad, he surely wis baad – Norman widna miss the fitba fir onythin." Archie gied is heid a shak. "Jist shows ye, though. Ye canna tak life fir grantit: ye nivver ken fan ye micht bi teen awa fae't aa."

"Ye'r a richt cheery bugger, irn't ye?" Duncan rockit oan is heels, fair embarrassed bi Archie's ootpoorin o emotion. "Ah'v a nicht oot the morn an Ah'v peyed fir ma tickit."

Ere wis a meenitie's silence afore Archie said, "Ye ken, Ah likit Norman. He nivver said muckle, bit he wis a fine laad fir aa at."

"Ah ken ye shidna spik ill o the deed, bit he wisna se quait es ye micht think." Duncan lowered is vyce. "Ah'v bade aside Norman a lang time an, atween you an me, wi war aye tinkin an fechtin. Myn you, things hid bin winnerfu es file – wi'd bin gettin oan jist dandy."

"Och, weel..." Archie leukit a bittie uncomfortible it Duncan miscaain is departit freen an chynged the subjeck. "At'll bi a funeral fir's, than. Ah'll need te try an gang."

"Ye likely winna bi bothered. His loon wis roon the day an he telt ma it wis gaun te be a private affair – jist faimly an a hanfu o invitit folk, like. It's aa arranged fir Setterday aifterneen it ane o yon new widlan beerial sites. Appairantly, they plunt a tree oan tap o ye insteid o pittin up a steen."

"Oh, ay, Ah'v heard aboot at. It's ane o yon 'green' funerals – it's aa aboot gaun back te nature."

"Ay, bit mebbe Norman'll bi gaun back te nature faister then he thinks: he's bein beeried in ane o yon new-fangelt cairdboord coffins."

"Oh, Ah dinna funcy at. Div you?"

"Div Ah hell?" leuch Duncan. "The erse'll bi oot o't in a wik."

"Mebbe seener then at," said Archie, lachin noo. "Wi'll hae te pit a prayer upstairs fir a dry day."

"Ah'm gettin crematit masel. Gaun stracht te the eyn result – cuttin oot the middle maan," said Duncan wi a smirk. "Jist a wee pilie o stew te skitter an nae steen te keep up."

"Div ye think ye'll be socht te the funeral?" speered Archie, stairtin te leuk rale doon in the moo again.

"Oh, ay, Ah'm invitit." Duncan noddit. "Wi me bein neest door, they kinna hid tull – oot o politeness, like."

"Ye nivver telt ma fit Norman actually deet o."

"Shortage o breath, Ah expeck. Same's aabody else. Sairiously, though, Ah think is loon said it wis a hairt attack. At's hairdly ony winner, like – Norman wis aye stannin it the back door puffin awa like a laboratory Beagle."

"Ye'r nae affa sympathetic." Archie leukit rale teen aback.

"Save yer sympathy fir the livin." Duncan grinned. "An, onywye, Norman widna bother is erse fit Ah said aboot im. Wi war aye tryin te git the upper han wi ane anither, bit wi hid a lot o fun, tee…atween fechts."

"At's gweed at ye war gettin oan afore he deet, though. A clear conscience is a saft pilla."

"Fin ye think oan't, wi war rale alike," said Duncan, takkin nae notice o Archie's hairt-felt sentiment. "Wi war baith practical an nae the kine te haud a sang an dunce aboot things; mebbe sometimes a bittie guilty o jist thinkin aboot wirsels – bit es Norman ayewis said, 'Iv ye dinna leuk efter yersel, Ah'm damnt sure naebody else wull'."

"Is at nae a bit o a selfish attitude te ging throwe life wi?"

"Ay, Ah s'pose it is," Duncan admitted cheerfully.

"It least he didna hae te suffer," said Archie. "Ere's a lot te bi said fir gettin a quick shift."

"Ay, mebbe ower quick. Ah peyed is milkie laist nicht. Ah dinna s'pose Ah'll ivver see at fiver again."

"At's an affa thing te say, min. Div ye nivver think aboot onybody bit yersel?" said Archie, shakkin is heid.

"Iv Ah think Ah can git awa wi't," joked Duncan, "Ah try nae tull."

*

Duncan leukit it is waatch: it wis jist aboot time fir Norman's funeral an five meenits fae kick-aff it Pittodrie.

"Fit'r *you* deein here?"

Duncan leukit up te see Archie Taylor starin doon it im wi a leuk o disbelief oan is face.

"Ah nivver expeckit te see you here the day – an sittin in Norman's seat an him hairdly caal. Ah thocht ye'd bi it the funeral. Wis ye nae invitit efter aa?"

"Oh...oh, ay, Ah cud iv gaed," said Duncan, "bit Ah didna wint te intrude oan their grief, like. Ah gat the feelin it wis mair o a faimly affair. An like Ah said te Norman's loon fin he cam roon te tell ma is faither wis deed – Ah hivna jist bin keepin at great masel es file, an Ah didna ken iv Ah'd bi up te aa the stannin."

"So, here ye are," said Archie, takkin a wry grin. "Sittin doon insteid – an in peer Norman's seat."

"Ay, weel, it wis a bittie o a dilemma fir ma, like, bit ere wis nae pynt in's baith missin the maatch. Norman likit is fitba an Ah'm sure he'd unnerstan."

Archie liftit is eebroos.

"Dinna leuk it ma like at, min – it's nae like Ah'm gaun te bi haudin oan tull is Seasons firivver. An, onywye, it's hairdly likely ony o the faimly'll bi sikken't the day."

"Jist es lang es ye dinna feel ower guilty aboot missin Norman's funeral?" Archie sut imsel doon.

"Och, Ah'll live wi't," said Duncan, settlin back in is seat es the fitba stairtit. "An efter aa," he addit, excusin imsel, "it's nae like he'll bi comin te mine."

Maan's Best Freen

Iv ye'r a beastie bodie ye'll ken at a pet is nivver jist a pet, an a dug, espeeshully, is nivver jist a dug – he raelly is maan's best freen.

Ess wee tale is aa aboot a lady caaed Jinny an her 'best freen', Mac, a black an fite Collie.

Oor Mac wis clean connacht. He wis a wirkin dug fa didna wint te wirk an I made sure he nivver hid tull.

"Did ye ivver hear o a sheepdug at wis feart o sheep?" ma maan compleent. "He canna bide here iv he's nae gaun te wirk, Jinny. He's a muckle, eeseless waste o space." An syne he leuch an addit, "At's fit wi'll caa im – eeseless."

Bit Ah widna, cudna, caa im eeseless. Ah caaed im Mac insteid an he gat te bide onywye. Although Mac leukit like a Collie wi is keen face an bricht een, appairently, ere wis a bittie o somethin else in im tee. An it wis at wee 'bittie o somethin else' at made im the daftest, saftest beast ye cud ivver wish te meet.

Se Mac wis retired afore he aiven gat stairtit. An it wisna lang afore he cam in fae the shed te the waarmth o the hoose, weedlin is wye inte wir lives an hairts. He became a hoosedug an ma constant companion, kennin ma in aa ma moods – happy, hairtbroken an aathin in atween.

Mac wis aye an easy-goin beastie an aiven fin wi flitted oot o the fairm an inte the Toon, he jist teen tull't nae bother. It wis a damnt shame, raelly: Ah'd te pit a collar oan im an, fir the first time ivver, a lead. Bit wi seen gat eesed wi the Toon an afore lang, aabody kent's Mac wis a bit o a celebrity, adored bi young an aul alike. Wi luved war waaks – oot in aa withers, enjoyin the fresh air an the beauty o the chyngin seasons.

Bit time gaed fleein by – es time dis fin ye'r nae leukin.

*

"Ye'll hiv te dee somethin aboot Mac," said ma maan. "Leuk it im – he's absolutely deen!"

"Ah ken…," Ah said, haudin up a han against is wirds, ma een fullin es Ah finally admittit te masel at Mac wis indeed 'deen'. The playful pup hid turnt inte a hirplin, crochlin aul incontinent, is een misted blue wi age.

"He's bin a faithfu freen," he addit, is ain een stannin wi watter es he gied im a clappie. "Bit ye'll hiv te lut im go, Jinny. It's nae fair."

Mac liftit is heid an lickit ma han…an Ah kent at it wis time…

*

Bit, oh, it's a sair, sair thing te loase yer dug. It's bin near twa ear since Mac deet an Ah still miss aathin aboot im: the tail-waggin welcome it the door; the sicht o im curled up in is basket an the soun o im paddin roon the hoose. An Ah aiven miss the wirk he made – the hair aawye; the dubby paaws an at affa doggy stink at hings aboot in the car. An waakin oan yer ain…weel, it's jist nae the same. Folk'r tellin ma Ah shid git anither pup – bit Ah dinna ken…Ah'll jist wyte an see.

Ah sometimes ging an sit in the park far wi eesed te waak. Ah shut ma een an haud ma face up te the wither an jist think aboot im. An syne Ah fin at Ah canna haud fae smilin: Ah can see Mac an he can see me; he's young an fleet an rinnin free; he's loupin finces, racin like a hare. An syne…Ah open ma een an a tear rins doon ma chik – Mac's *nae* ere.

Ere's jist a space far the dug shid be: maan's best freen – an wumman's tee.

Pride comes afore a Faa

"Dottie! Ye canna ging an dee at ahin Bill's back," said Beldie. "He'll loase the heid."

"Weel, the maanie's comin it three o'clock, se ere's naethin he can dee aboot it." Dottie liftit a dismissive han. "An, onywye, wi'r the only hoose in the street at hisna gat a Sky dish – Ah'm wirried folk'll think wi'r hard up."

"Weel, Ah can tell ye ess, Dottie, Ah'd grudge peyin oot forty poun a month fir mair TV – Ah raelly wid. At's ae expinse Ah cud dee wi'oot."

"Och, haud yer wheest. Ye'r es baad es Bill. Ah said tull im, 'Jist think, iv ye'd the Sky putten in ye cud bide it hame an waatch the fitba in comfort insteid o aye trailin te the pub', an he'd the chik te say at wis anither gweed reason nae te bother."

Beldie leuch afore speerin, "Fit did he think o the new wide screen TV?"

"Oh, weel, ye ken Bill. He wis suitably unimpressed: said he cudna see nae differince."

"He's richt enuch, though, it's jist the same shite bit wider. Ye'v surely siller te burn."

"Ah widna expeck you te unnerstan," snortit Dottie. "Ah'm nae bein funny, Beldie, bit you and me's nae raelly in the same league fin it comes te disposable income. An ye hiv te accept at Ah'v mebbe gat expecktations an aspirations in life at you dinna."

"An mebbe Ah'm jist easy pleased. Ye ken, it's a great gift te bi saitisfeed wi fit ye'v gat."

"Ay, ay, fitivver. Bit Ah'm tellin ye, Beldie, folk tak notice o fit ye hiv; fa ye socialise wi an foo ye conduck yersel – keepin up a gweed reputation an public image is aathin iv ye wint te mix in polite circles."

"Ere's naethin wrang wi ma public image," said Beldie.

"Raikin in charity shops an car boots; gaun te the Legion bingo…" Dottie liftit er eebroos. "Need Ah say mair? Ye'v te conseeder yer livin surroundins, tee: stylish furnitir; quaality art;

tastefu colour schemes. An ye shid ayewis try an leuk intelligint an interestin," she addit, noddin er heid. "It's aa aboot makkin a gweed first impression oan folk."

"Fit d'ye mean?"

"Weel...think aboot ess fir a meenit, Beldie. Fit'r ye readin eyvnoo?"

"Eh?"

"C'mon, it's nae a trick question. Fit's oan yer coffee table?"

"Yisterday's 'Sun'," said Beldie, tryin te myn. "An a paperback romunce."

"Ah rest ma case." Dottie rolled er een. "Ye shid aye bi readin somethin ye widna bi affrontit o iv ye deet in the middle o't."

"Oh! Fir Goad's sake." Beldie leukit it er pal an sighed. It wis sometimes hard te think they'd bin brocht up es neebours oan the same cooncil scheme – Dottie cud bi a richt bigsy bitch fin she likit.

"Se foo'r ye likin ess new hoose, than, Dottie?" Beldie leukit roon the muckle kitchen aa fittit oot wi solid-wid units an shiny new appliances. She screwed up er face es she thocht aboot er ain kitchen wi its higgelty-piggelty cupboords an shoogly draars.

"Oh, jist gran! Ah'v aye likit Inverurie, bit Ah raelly wintit te bide in a cul-de-sac. An ess is a fine big hoose wi plinty o room te display aa ma untiques. Ye raelly need a bit o space te show things aff te their best advuntage."

"Ah widna ken," said Beldie wi a sigh o resignation. "Oor hoose is as sma, ye'v te ging ootside te chynge yer myn."

"Oh, Ah ken, Ah ken." Dottie pattit the back o er han an gied er a sympathetic leuk. "Ah dinna ken foo you an Geordie can bide ere, an in sic a roch pairt o Toon, tee."

"Wi like bidin ere." Beldie felt a tide o indignation risin in er breest. "Yon hoosie's fine fir jist the twa o's. An wi'v gran, doon-te-earth neebours – the kinna folk at ye ken far ye stan wi."

"Hmmph!" Dottie turnt fae fullin the kettle an leukit it Beldie like she wis a bittie wintin. "Ah s'pose ye'r jist nae like hiz," she said, takkin a china cup an sasser oot o the cupboord. "Me and Bill's aye tryin te better wirsels."

Bill disna git muckle option, thocht Beldie wi a grin. *He's bin livin aneth petticoat govermint since the day ye gat mairret.*

"Help yersel." Dottie slid a hanfu o chocolate digestives onte a plate an dished oot er coasters. "Ah ayewis like te licht a cunnle," she said, crackin a spunk te the twa tea-lichts oan the kitchen table, "aiven fin Ah'm jist haein a fly."

"Since fan?"

"Tea?" said Dottie, ignorin the question an liftin the taypot. She gied a wee choocher o a chough an shoved er airm aneth Beldie's nose.

"At's a gey swell-leukin timepiece ye'v bin gettin." Beldie smiled an did er best nae te leuk ower green. "Ah like the bonnie goldie-leukin strap."

"Less o the goldie-leukin," said Dottie. "Ess is the real McCoy. Bill bocht it fir ma it an untiques fair."

"Huh! Ye'r lucky te hae a maan at's se thochtfu." Beldie sighed. "Fin I telt Geordie Ah funcied a new waatch fir ma birthday he jist said, 'Fit div ye wint a waatch fir? Ye'v jist gatten a cooker wi a clock oan't.'"

Dottie gied er heid a shak an the leuk she gied Beldie wis a mixter o peety an disgust.

"Se tell ma, than." Beldie helpit ersel t'a chocolate biscuit. "Foo'r ye gettin oan wi yer new neebours?"

"Oh, aricht." Dottie soundit a bittie cagey.

"The wifies oan either side o ye leuk pleasant enuch."

"Ay...bit Ah think they'd bi rale ill-fashioned, though. The day wi flitted in they war baith aboot brakkin their necks te see fit wi hid."

"Se, hiv ye deen ony socialising yet?"

"No...Ah s'pose it'll jist tak a meenitie te brak inte the social circle."

"Oh, Ah thocht ye'd hiv bin weel inte aa the coffee mornins or noo. An you bin here near three wiks, Dottie – ye'r slippin up."

"Ah invitit aa the weemin roon fir a wee soiree the nicht," said Dottie, steerin a speenfu o sugar inno er tay.

"Se fit time ir they comin, Mrs Bucket?"

"They'r nae." Dottie reedened. "Aabody wis busy. An noo Ah'm stairtin te winner iv they mebbe think they'r a bittie better then hiz. Ah ken Bill hid is ain fairm bit ess lot ir aa retired professionals."

"It's mebbe nae at kinna *pro* at's the problim."

"Fit ye spikkin aboot?" Dottie leukit confused. "It'll jist bi a clannish street at's gaun te tak a file te bed intull, at's aa."

"An it's mebbe nae at kinna *beddin in* at's wirryin em," said Beldie, steepin er biscuit in er tay.

"Leuk Ah'v nae idea fit ye'r oan aboot." A leuk o revulsion passed ower Dottie's face es Beldie's piece fell inte'r cup an she hid te fish it oot wi a speen. "Ah'm tellin ye ess, though, ess is the kinna street far folk hiv standards; far folk ken foo te conduck theirsels."

"At's fit you think!" Beldie happit er moo wi er han es the wirds cam tummlin oot.

"Richt! Oot wi it, lady," snappit Dottie, finally loasin patience. "Fit exackly ir ye hintin at?"

"Och, no, it's naethin raelly…" Beldie lut er vyce tail awa in a tantalizin fashion.

"Na, na, missus," insistit Dottie. "You tell me fit ye'r gettin at."

"Weel…" Beldie raxxed ower the table an helpit ersel t'anither piece. "It wis jist a bittie claik at Ah heard in the Co-op it the heid o the Toon."

"An at wis…?"

"Jist haud yer horses. Ah ken ye dinna like ma spikkin wi ma moo fu."

"Jist tell ma," demandit Dottie. "Spit it oot!"

"Weel, ere wis ess twa wifies stannin newsin aboot haein some'dy new in their street. An fin Ah turnt roon te see fa wis spikkin, Ah recognised em richt awa."

"Ay?"

"Ay. It wis yer neest door neebours. They war discussin the previous occupant o ess hoose – an fae fit Ah cud gither, she wis jist a fair lady."

"Eh?"

"Ye ken..." Beldie fun er moo turnin up it the neuks es she eekit oot the story, savourin ilky meenit o its tellin.

"No... Ah dinna ken!"

"Weel, appairently, she wis affa freenly – hid a lot o veesitors, iv ye git ma meenin. The wifies war sayin she entertaint maanies fae aa roon."

"Ah winner fa she wis?"

"Ah, weel," Beldie leent forrit in er cheer, "at's the maist interestin bit. Fin Ah tell ye er name, ye'll myn er fine fae the skweel."

"Tell ma, than."

"Ah'll gie ye a clue: she eesed te sit in front o's in Home Economics an she'd aye er blouse unbuttoned hauf wyes doon an er skirt hunkit up near roon er middle."

Dottie's broo pleatit es she traawled er memory.

"C'mon, ye must myn. She wis rale free an easy wi er favours aiven in at days. In fack, Ah think she eence gaed awa wi a laad o yours."

"Nae... Rhoda Knight?"

"Ay!" Beldie noddit. "The verra same."

"Ah canna believe at a roch quine like Rhoda wid eyn up bidin in a high-class area like ess," said Dottie, leukin horrified it the discovery.

"Mebbe she's gatten up in the warld – turnt inte a high-class hook – "

"Haud yer tung, wull ye." Dottie held up a han. "Ah'm thinkin." An syne er face grew black wi affront. "At's likely foo the neebours ir nae se keen oan comin roon here. They cud bi feart onybody'll see em comin in t'a – "

"A hoose o ill-repute," interruptit Beldie. "They micht think ye inten cairryin oan the buzness."

"Surely... surely they widna think at aboot me?"

"Fa kens?" teased Beldie. "Ye'd mak a rare Miss Whiplash."

"Oh, my Goad! Ess is affa. Fit am Ah gaun te dee? Ah'm a respecktible wumman. Ah eesed te bi heid o the Guild, fir Goad's sake. Naebody'll wint te come near the place."

"Ay, ye'r mebbe richt." Beldie cudna haud fae smirkin. "Folk tak a lang time te firget – an dirt sticks."

"Ah think you'r enjoyin ess," Dottie accused er freen. "Ye probably think it's the price o ma fir wintin te meeve here in the first place."

"Weel, ye ken fit they say: pride comes afore a faa."

"Oh…oh…Ah feel like Ah'm gaun te fooner." Dottie sut doon an lut oot a lang, shudderin sigh. "Rin throwe an git a weet facecloot."

"Dinna wirry yersel." Beldie tried te keep a stracht face es she wrung oot the caal flannel an clappit it onno Dottie's broo. "Foo cud onybody think onythin wrang aboot you? Na, na," she consoled, stairtin te feel a bittie sorry fir er pal, "aathin'll bi fine. Leuk it ye, Dottie, ere's naebody wid tak you fir onythin ither then the decent an upstannin citizen at ye are."

"Ay, ay, ye'r richt." Dottie wis takkin deep breaths noo, like she wis tryin te sattle er nerves. "Ah'll jist lie low fir a filie. They'll seen see at Ah'm a clean-livin, decent kinna bodie, an syne Ah'll try an invite em again."

"Oh! Ma hairt!" Beldie aboot loupit er ain hicht es the doorbell gied a great *ding dong*.

"Fa the hell's at, noo?" said Dottie, liftin a neuk o the facecloot. "Leuk oot an see."

Beldie keekit roon the kitchen curtins te see a fite van parkit oan the road an a maanie wi a tool box stannin oan the tap step. "It leuks like a wirk boy o some kine."

"Oh, Goad!" Dottie threw the facecloot in ower the sink, leukit it er waatch an made fir the door. "It's ma Sky maanie."

"Ah'm here te pit in yer Sky, Missus Reid," said the maanie, es she pulled open the door.

"Come away in."

Beldie grinned t'ersel es she listened te Dottie spikkin aa pan-loaf. *Fa the hell dis she think she is?* she thocht, helpin ersel t'anither chocolate digestive.

"Ay, ay, fit like?" said the maanie, smilin an liftin a han es he follaed Dottie throwe the hoose.

"Wi'll tak a leukie it fit's needit ootside noo," said the maanie, comin back inte the kitchen wi Dottie trottin ahin im, shakkin er heid it the fool fitprints oan er fleer.

"Ir ye sure it's aricht te pit it ere?" The laad's vyce floatit in throwe the open kitchen winda. "Maist folk wint their dish far folk's nae gaun te see't."

"No, no," Dottie assured im. "I'd actually prefer it to be in full view."

The Sky maanie soundit a bittie surprised an syne said, "Weel, Ah'm jist masel the day, se Ah winner iv ye micht gie's a wee han. Ah'v te feed a wire throwe yer cavity waa. Ah'll show ye far Ah wint it, an syne Ah'll git ye te gie's a shout fin ye see't."

"Dinna myn me!" Beldie leukit up fae demolishin the chocolate biscuits es Dottie an the maanie gaed awa ben the hoose again.

Five meenits later they baith reappeart. Dottie wis comin ahin, noddin, an the Sky maanie wis giein er aa er orders.

"I'll just leave you te get on with the outside work, then." Dottie dismissed the wirkmaan an sut doon it the table. "Ye'v aeten aa ma biscuits, ye gutsy besom," she hissed, wheechin awa the impty plate. "Ah dinna ken iv Ah'v anither piece te offer the maanie, noo."

"Weel, ye'll jist hiv te offer im somethin else insteid." Beldie leuch an winkit. "He'll mebbe aiven gie ye a bittie aff yer bill."

"Ye'r nae aiven a wee bittie funny, Beldie," said Dottie, stickin er nib in the air es the soun o drillin fullt the kitchen.

"At's me riddy, than." The mannie stuck is heid roon the door. "Noo, ging throwe te far Ah showed ye an shout oot the winda fin ye see a wire powkin up."

"Okay-dokay," said Dottie, smilin it the maanie an gaun rinnin throwe the hoose.

"At's it! At's it!" She cam racin back inte the kitchen. "Ah can see't noo."

"Weel, tell im! Dinna jist stan ere like a bliddy eediot." Beldie cudna help grinnin fin Dottie gaed ower te the winda, openin an shuttin er moo like a goldfish in a bowel.

"Ah canna say't!" She shook er heid an clappit a han ower er moo. "He's telt ma te shout oot, 'At's it powkin up noo!'"

"Weel, dee't, than."

"Ah canna roar oot at – it souns affa." Dottie reedened. "An espheeshully in the licht o fit ye'v jist telt ma."

"Oh, Dottie," leuch Beldie. "Dinna bi se daft. An, onywye, ere's a great muckle fince atween you an baith yer neebours."

"Ah ken at, bit they'r nae deef, ir they?"

"Weel, roar oot somethin else, than."

"Fit?"

"Onythin. Jist lut im ken ye can see the wire."

"Ay, okay." Dottie teen a deep breath, leent oot an cried, "*Hoo, hoo! Hoo, hoo!*"

"Div ye see't?" The maanie cam te the winda leukin rale aggravatit. "Is't powkin up or no?"

"Oh! Oh! Ah'd better jist ging throwe an check again," said Dottie, firgettin te spik funcy an gettin ersel in a richt flap, "...an Ah'll shout *Hoo, hoo* fin Ah see't."

Beldie waatched es Dottie gaed fleein ben the hoose.

A meenit later she wis back in the kitchen, puffin an pechin. "Ay, Ah can see't. Oh, Oh, me...Ah mean, *Hoo, Hoo! HOO, HOO!*" she shoutit, stickin er heid an shooders oot the winda. "*HOO, HOO! HOO, HOO!*"

"GREAT!" roart the maanie. "Noo, ging back tull't, an fin I wiggle't aboot you gie't a quick rug."

"OH! OH!" Dottie held baith hans up in the air es iv it micht shut the maanie up. An Beldie leuch oot lood it the affa picher er freen wis gettin in.

*

Finally, efter hauf-an-oor, aa the powkin, ruggin an tuggin at hid te bi deen wis feenished wi.

"Wid ye like a cuppie?" speered Beldie, es the Sky maanie fullt oot aa is paperwirk. "Ah'v munaged te faa in wi anither packet o biscuits an a bittie hame-made cake."

"I'm sure the gentleman has other appointments to keep." Dottie hid recovert er composure an shot er freen a waarnin glower.

"Actually, no," he said. "Ess is ma hinmaist job the day an a fly cup wid jist bi gran."

By Goad, thocht Beldie, es she listened te the maanie pittin the warld te richts, is tung gaun like the clappers, *he can fairly news.* She leukit oot the corner o er ee. Dottie wis checkin er new waatch ilky five meenits an leukin like she wis awa te hae kittlins.

*

Aifter a gweed oor o takkin aabody an aathin throwe han, the maanie finally decidit te bi oan is wye.

"Thunks fir the tay," he said oan is road oot. "At wis affa civil o ye an much appreciatit."

"Goad, Ah thocht he'd nivver ging awa," fuspered Dottie, es they waatched im clim in ower is van an screw doon the winda.

"Leuk fa's comin in aboot." Beldie waved an smiled es baith o Dottie's neest door neebours siddenly appeart es iv fae naewye, laden doon wi shoppin bugs. An syne, fit happent neest made er think at mebbe pride sometimes raelly dis come afore a faa.

"Cheerio, than, Missus Reid, an thunks fir giein ma a helpin han," the Sky maanie roart, es he drove awa. "YE'R THE BEST HOO-HOOER IN INVERURIE!"

Flushed wi Success

Ah opened the invelope an pulled oot a creamy-coloured invitation wi a funcy fluted edge.

"*Oooh*...affa swell." Ma pal, Muggie, tittit the wee squaarie o caird oot o ma han. "Fit's ess ye'r bein asked tull, noo?"

"It's Fenella's launch," Ah said. "She's an artist wifie Ah met oan a nicht oot. She's openin er ain gallery."

"Fit's she like?"

"Oh, affa nice..." Ah hesitatit syne addit, "Te tell ye the truth she's a bit o a flee-up. In fack, Ah'm nae excitin masel iv Ah ging or no. Ah'll need te hae a think aboot it..."

"Wull er bi free drink an grub?"

"Ay, likely."

"Weel, fit's te think aboot? Ye can tak me wi ye. Ah cud dee wi a nicht oot."

"Ah wid," Ah said wi a grin, "iv Ah thocht ye cud behave yersel."

"Oh, bit Ah wull." Muggie teen a sup o er tay an cockit er crannie.

Ah gied ma heid a shak, smilin es Ah leukit it ma freen. She's an affa quine bit Ah widna chynge a singil thing aboot er. Muggie's a haird-wirkin wife an mither wi a hairt o gold an a typical North-east nae-nonsense attitude te life.

"Weel," she said. "Ir ye gaun te tak ma te see ess wifie's picters, or no?"

"Ah dinna ken iv it'll bi your kinna thing, Mug. Ye winna ken onybody an it micht bi a rale dry affair – borin aiven."

"Ye'r nae affrontit o ma, ir ye?" She leukit rale pit oot. "Ah can bi refined fin Ah like – an Ah div scrub up weel."

"Go oan, than," Ah said, giein in. "Wi micht aiven enjoy wirsels."

*

"Goad Almichty! Ye warna jokin fin ye said ye'd mak an effort," Ah said, es Ah met Muggie ootside the gallery.

"Ah telt ye Ah widna lut ye doon."

"Ye leuk great – the bee's knees!" Ah smiled es Ah leukit er up an doon: she'd oan a bonny black frock wi a plungin neckline; a pearl choker an maatchin bracelet an er hair hid bin twistit inte a funcy French pleat.

"At's a fair cleavage ye hiv ere." Ah pyntit tull er chest.

"Leuks rale impressive, eh?" she said, thrustin oot er assets.

"Like a bairn's backside."

"Muggie! At's exackly the kine o spik wi dinna wint te hear. Wi'r here te see an exhibition – nae te mak ane o wirsels."

"Ah ken, Ah ken...Ah'm jist gettin it aa oot o ma system afore wi ging in. Ah'll bi oan ma best behaviour – promise."

"Ye'd better bi. Ah dinna wint ye sayin onythin oot o order, nae steerin onybody up an, fitivver ye dee, bide aff the drink."

"Ah hivna a problim wi the drink."

"Ah'm nae sayin ye hiv. Bit ye ken fit ye'r like wi a skite in – ye git cyard an aa definsive, an ye dinna gie a fiddler's fart fit ye come awa wi."

"Calm doon, fussy briks," teased Muggie, es wi gaed inside. "Lowsen yer steyes an live a bittie."

Ah blinkit es Ah leukit aroon the new gallery: aathin hid a reed an gold theme an ere wis bonny flooer arrangemints aawye; folk war stannin aroon suppin it their drinks an spikkin in hushed tones like some'dy hid deet; an a lassie in a reed baallgoon wis sittin scrattin awa it a chello.

"At's a fair size o a thing she's gat atween er legs," giggilt Muggie. "Leuks like a bliddy waardrobe."

"Ssshh!" Ah held a fingir up te ma moo, takkin in aa the picters hingin oan the waa: ere wis pintins, line draains, wattercolours an a fyow portraits oan canvas at defied description.

"Is at the artist wifie ower ere?" speered Muggie, giein ma a putt an noddin it a reed-heidit lassie wi a lang black frock an silver Doctor Martens teetin oot aneth the hem.

"Ay, at's her." Ah waved es Fenella turnt roon an saa ma.

"Darling! Delighted you could come," she twittert, pittin a han oan ma airm an giein an enthusiastic display o air-kissin.

"Thank you for inviting me," Ah said. "And this is my friend, Maggie."

"Pleased to meet you." Muggie stuck oot a han.

"*So* glad you could both make it." Fenella grabbit Muggie bi the shooders an gaed throwe the hale kissin palaver again.

Ay, sure ye are, Ah thocht, es the artist's een driftit t'a place ahin ma left shooder an Ah kent she'd jist spottit some'dy a lot mair interestin te spik tull.

"Must go and circulate. Have a lovely time. And if you see anything you particularly fancy, just let me know," said Fenella, handin ower a price list an floatin awa oan a clood o black lace.

"Ah dinna think ere's muckle chunce o me buyin onythin," said Muggie, es wi teen a glaiss o wine fae the waiter an toured roon the exhibition. "Aathin costs an airm an a leg."

"Ah ken," Ah agreet, leukin doon the list. "An the wirse they leuk, the bigger the price."

"Tak a gander it ess." Muggie peered it a great muckle canvas o a nyaakit maanie fa wis missin is heid an baith feet. "Fower hunner poun fir at? It's nae aiven feenished."

"Ah think ye'r s'post te leuk beyond the obvious." Ah pit ma heid oan ae side an studied the picter. "Ye'v gat te try an think fit the artist's tryin te say."

"Arty, farty shite!" exclaimed Muggie, takkin a big swally o er wine. "She can say fit ivver the hell she likes, bit fir fower hunner poun Ah'd bi expeckin the hale maanie."

"Lut's ging an snuff oot the nibbles," Ah said, tryin te shut er up.

"Nibbles! Ah cud aet a scubby horse. Here's a quine comin wi a tray noo." Muggie's een lichtit up. "Ah didna hae ony supper," she said, knockin back er wine an takkin anither glaiss fae a passin waiter. "Ah'v bin savin masel."

Ah cudna help smilin it the leuk o disappintmint oan Muggie's face es a waitress cam ower wi twa silver trays. Insteid o the sassage rolls an sannies she'd obveesly bin expeckin, ere wis a hanfu o grapes an a fyow paper-thin craackers garnished wi a wee scrapin o reed stuff.

"Ah didna ken fidder te tak a green grape or a black ane," Ah joked, es the waitress disappeart.

"Fit a drap! Ere's nae enuch maet te feed a spurgie." Muggie teen a bite o er craacker. "Gyad-sakes!" she cried, spittin't intull er hunkie. "It's affa sattie. Fit the hell's at?"

"Ah think it's reed caviar. Costs a fortune – bit ye'r richt." Ah nibbled roon the edges o ma ain piece. "It's absolutely hellish!"

"Gie ma a scotch egg an a hanfu o tattic crisps ony day," said Muggie, makkin some affa moos. "Ah'll need anither drink te git redd o the taste."

"Jist ca canny," Ah warned, es she helpit ersel t'anither glaiss o wine.

"Aaaaah!" She guzzled doon the claret. "At's better."

Ah sighed an winnert iv wi shid mebbe mak wir escape, noo, afore things stairtit gaun doonhill.

"Ah'v jist bin listenin te folk spikkin," said Muggie, linkin er airm throwe mine es wi did anither roon o the room an studied aa the artwirk, "an aabody's sayin the same kinna thing – aa Ah can hear is 'Wonderful! Amazing! Fabulous!'. An aabody's speerin fit ane anither wirks at: 'And what do you do?' she giggilt, mockin Fenella's guests.

"At's jist a thing folk say, Mug," Ah assured er. " 'What do you do?' is jist a stock question – a convirsation opener."

"A chunce te puff, mair like. Iv ye ask me, folk'r only speerin at so's they can spik aboot fit they dee."

Ah grinned. Muggie hid a knack o seein richt throwe folk.

"Is ere onybody here his an ordnar job?" she addit wi a sigh. "Or ir they aa a fabulous success?"

"Dinna bi daft! Ere's folk here fae aa waaks o life."

"Ah'm jist wirried some'dy'll speer fit I dee fir a livin? It's nae exackly the kinna job ye can blaaw aboot."

"It disna maitter fit ye dee es lang es ye dee't weel." Ah leukit aroon afore dumpin ma craacker an caviar ahin a plunt. "Bi prood o yersel, Mug, an nivver ivver apologise fir fa ye are. Ye'r wirth ten o Fenella-fit's-er-face."

"Ay, bit – "

"Ay, bit naethin," Ah insistit. "Bit iv ye'r at wirried, ye cud aye mak yer job soun mair excitin then it actually is. Ah ken – say ye'r responsible fir maintainin sanitation standards within the retail industry."

"Ay, okay." Muggie seemt a bittie happier. "At souns great – Ah'm feelin mair successfu ariddy."

Wi wannert aroon fir a file tull Muggie declared, "Ah'm fed up wi ess – the picters ir crap an ere's naethin te aet."

"Tell ye fit, wi'll splut up an mingle fir a meenitie an syne wi'll haud up the road. Hae anither waakie aboot an tak a leuk it aathin oan yer ain."

Ah munaged te git aboot hauf-wyes roon the exhibition fin Ah wis collared bi a maanie fa wis maist insistent at he kent ma fae somewye. He blethered an newsed tull ma een glazed ower an Ah'd jist aboot loast the wull te live.

An Ah wis plannin ma escape fin Ah heard a familiar scraichin lach comin fae the ither eyn o the haall. Ah held ma breath, ma hairt deein a somersault in ma chest es Ah turnt roon. An syne a smile ruggit it the neuks o ma moo it the sicht at greetit ma: Muggie wis fu – dytered – shitmarack.

Ah thocht Ah wis dreamin es Ah stared it the spectacle afore ma: a black grape wis nestled in Muggie's ample cleavage; er French pleat hid collapsed; a bittie o caviar wis hingin aff er chin an she wis glaissie-eed an grippin oan tull er glaiss like er life dependit oan't.

Ah shid nivver hiv left ye bi yersel – it's like trustin a cat te deliver cream, Ah thocht, es Ah waatched er sweyin back an fore.

Ah stairtit te meeve across the room bit it wis ower late te stop fit happent neest.

"Weel, *hullo* there!" Muggie wis lachin an hiccuppin es she hytered ower the fleer an introduced ersel t'a wee boorachie o folk at wis githered roon Eck Spence, a local cooncillor.

Cooncillor Spence wis stannin in front o ane o the pintins an layin aff aboot the artist: "This painting is amazing – absolutely wonderful! Fenella really is the queen of the life study."

"Ay, amazin!" repeatit Muggie, liftin er glaiss te the portrait o the heidless maanie wi'd bin leukin at afore. "Absolutely, hic... wunnerful!"

Syne it wis like waatchin an accident aboot te happen fin Cooncillor Spence leent forrit an said te ma weel-iled freen, "So what do *you* do?"

"Ah'm the queen o the public convenience... fair *flushed* wi success!" slurred Muggie, flinging back baith airms an shooerin reed wine ower the assembled company. "Ah clean the lavvies it Tesco's – an Ah mak a bliddy gweed job o't!"

Savin the Environment

Wi'r sortin aa wir rubbish
Inte receptacles galore –
Heaps o differint things te full
Fin ane did fine afore.

Wi'v gat a big black box
Fir plastic, glaiss an cans.
Wi'r savin the environment:
Oan waste ere is a ban.

Wi'r sweelin oot wir tins,
An squaashin bottles flat.
Wi'r crammin twa wiks' papers
Intull a wee fite sack.

Wi'v aiven stairtit makkin muck
Fae girse an saadust shavins;
Veg left ower fae dennertime;
Tay bugs an tattie parins.

Recyclin's meent a lot o wirk,
Bit it's garred us think, an aa,
Aboot the gweed at cud bi made
O the stuff wi throw awa.

An fir aa ess extra effort
They'll surely bi a prize –
A bittie aff wir Cooncil Tax,
An nae anither rise!

Reed Het Ronnie

Ronnie Hinnersin's quest fir true luv wis still unfulfilled an, es middle-age beckoned, the Meldrum fairmer's dream o finnin at perfeck wumman wis es far awa es ivver. Bit hope springs eternal an is best mate, Stevie, hid jist come up wi anither great idea...

"Ye shidna organise ma social life wi'oot tellin ma," compleent Ronnie.

"Weel, Ah'v bocht yer ticket." Stevie faaled is airms an leukit determined. "Se ye'll hiv te ging noo."

"*Silent Dating Party,*" said Ronnie, readin the ticket. "Div ye think at's a wise idea? Efter yon disaster wi the blin date, Ah'm a bittie anxious aboot meetin up wi strangers."

"Aabody's a stranger tull ye git te ken em. An yon date wi the terrible Tina wis jist unlucky."

"Unlucky! She wis as ugly aiven the tide widna tak er oot." Ronnie's hairt sunk es he mynd aboot aa the ither disasters since. "Fit aboot aa yon weirdos Ah gat spikkin tull oan the internet? Wealthy Wendy fae Wisconsin turnt oot te be raelly Benefits Brenda fae Bythe; an syne ere wis the Thai bride disaster – yon Ling Ting wis a richt pig in a poke."

"Ay, bit hauf o fit happent ere wis yer ain wyte, Ronnie. Ye shid mebbe hiv bin a bittie mair sispicious fin she said she wintit te bring er mither ower here, an aa. An Ah did think it wis queer kine fin she insistit oan takkin yon gweed-leukin 'brither' wi er aawye she gaed."

"Ay..." Ronnie steekit is neives es he thocht aboot foo he'd bin had. "The only thing she wis interestit in wis clearin oot ma bunk accoont."

"Okay, okay." Stevie waved is hans in the air. "Ah'll admit at the things wi'v tried hivna bin a great success, bit aa at cud bi jist aboot te chynge."

"Ay, mebbe, bit Ah ken Ah canna ging oan like ess muckle langer," said Ronnie. "It's nae natral fir a reed-bleedit male like masel te bi oan is ain. Ah'm like a dug wi a been an naewye te beerie't."

"Weel, fa kens? Ess Silent Datin's mebbe jist fit ye'v bin leukin fir. Ah gaed onte the internet an fun oot aa aboot it." Stevie handit ower a sheet o paper.

Ronnie's lips meeved es he stairtit te read:

Silent Dating may be for you if you tend to get tongue-tied, nervous and are always afraid of saying the wrong thing. It's all about meeting interesting people without the mindless chatter.

With Silent Dating there's no need to make small talk with people you're not interested in. There is, quite simply, no conversation! Guests will be provided with paper and pens when they arrive and all communication is done by exchanging notes. And remember: people say things on paper they perhaps wouldn't say out loud.

So, all you have to do is find that special someone, pass them a note and take it from there. Silent Dating is a new and exciting concept for singles who like to flirt without speaking and to socialise in a friendly and novel environment.

Calling all you lonely singletons: why waste another second when that perfect partner may be out there waiting for you right now? Come along to our next Silent Dating event: it's sexy, flirtatious and, most of all, fun!

Pick up the phone and make your booking today.

"Fin Ah phoned up te speer aboot tickets," said Stevie, "the wifie wis affa fine te spik tull. Ess Silent Datin's appairently bin a big hit in the Toon an ere wis a great daad aboot it in the papers. Onywye, it's bin sic a success at the organisers ir plannin te tak it oot te aa the country places."

"Se far's the first ane bein held?"

"It the Melvin Haall in Tarves. It's bin weel advertised an the wifie's hopin fir a gweed turn-oot."

"Tarves!" Ronnie screwed up is face. "Fit wye ere? It's like a cemetery wi lichts."

"Ay, mebbe, bit Ah'd imaagine ere's plinty o lonely hairts like yersel in the area. Ah widna think folk in the country git the same opportunities es yer toonsers div."

"Ay," said Ronnie, feelin a bittie brichter, "an in my experience, a lack o choice equals desperation."

"Weel, Ah dinna ken iv at's athegither richt, bit it'll mak a chynge fae gaun inte Meldrum – ye'r nivver gaun te transform yer life haudin up the bar it Jock's."

"Ah s'pose."

"Nae s'pose aboot it, Ronnie, ye'll git oan fine. Ah'll gie ye a run doon an syne come back fir ye it the eyn o the nicht."

*

Ronnie tittit in annoyance es he heard a motir draa inte the close: Stevie wis early an he wisna near riddy.

"Fit a rare day it's bin!" Stevie's heid appeart roon the neuk o the bedroom door. "Aathin's bone dry. It's as het Ah'v heard fartin's bin banned oan Bennachie."

Ronnie leuch an said, "It's mebbe a fine day te you bit, fin ye'r ginger, wither like ess is pure torture." He run a han ower is broo. "The watter's rinnin aff ma – Ah'm meltin."

"Is at yer underweer?" Stevie pyntit an burst oot lachin.

"No!" said Ronnie sarcastically. "It's ma bliddy mither's."

"Ah jist meent at... weel, it's nae affa attractive, like."

"Ye think?" Ronnie leukit doon it is maatchin purple an yalla Interlock semmit an draars. "They'r a fair age," he confessed, "bit claes can laist a lang time iv ye dinna ging feel wi the waashin. It's foo ye use em." He noddit afore addin, "Aabody kens ere's three wyes te weer yer draars: front wyes, back wyes an inside-oot."

"Och, Ah dinna s'pose it maitters es lang es ye'v hid a bath or a shooer."

"Eh... weel, no. Ah'v only hid time fir a Glesga waash," said Ronnie, grinnin an haudin up a tin of chaip deodorant.

"Oh! Ah despair!" Stevie gied is heid a shak an sighed. "It's aye the same aul story – gie yersel a chunce, maan!"

"Stop yer naggin an gie's a han te git dressed."

"At's a gey lood sark fir a silent pairty," joked Stevie, haalin Ronnie's choice o evenin weer aff a roosty hingir.

"Magaluf 1983. It's ma lucky sark!" said Ronnie, admirin aa the bonny-coloured birds, palm trees an tropical fruit. He buttoned imsel up an drappit is draars. "Ah aye dee ess," he said, grinnin it is reflection es he pulled is underweer up ower is sark, anchorin it firmly in place. "Keeps ye tidy."

"Tidy's a wird Ah'd nivver associate wi you." Stevie pyntit it Ronnie's green Wellington socks. "An Ah hope ye'r nae intennin weerin em."

"It's the only clean pair Ah'v gat," said Ronnie, pullin oan is briks an forcin is feet inte's sheen.

"Come oan, than." Stevie tappit is waatch. "Wi'll need te git goin."

"Ah...Ah dinna ken iv Ah wint tull. Ess Silent Datin souns affa complicatit an ye ken ma spellin's nae jist the best." Ronnie fun is belly gaun funny kine es he paced back an fore, rippin awa like naebody's buzness.

"Ronnie! Ah hope ye'r nae plannin oan deein at the nicht – ye'll bi oot oan yer erse."

"Sorry! Bit ye ken fit they say – better oot nor in. It's ma nerves," he said, grippin is guts. "Ah'm a bittie blickery."

"Blickery!" leuch Stevie. "At wis mair like a three-strider, min!"

*

Ronnie leukit aroon es they parkit in front o the haall it Tarves: the main street wis deed an the only life te bi seen wis twa lang-haired loons oan bikes; a shargered, ginger moggy an a collie wi a coorse leuk oan its face.

"Aabody'll bi in ariddy." Stevie noddit it the clock oan the dash. "It's bin goin hauf-an-oor."

"Mebbe it's nae wirth gaun in noo, than," said Ronnie, windin doon the winda an leukin up it the banner plaistered oan the door – *Silent Dating Party* – *tickets only.*

"Na, na, ye'v plinty o time. It disna feenish tull aleyven o'clock. Bit afore ye ging in, Ah'd like te gie ye a bittie o advice."

"Ay?" Ronnie furled roon in is seat, anxious fir onythin at wid delay the meenit fin he wid hae te leave the safety o Stevie's dub-spirkit, aul jeep.

"Ah dinna wint ye te ging in ere wi a preconceived idea o the kine o lassie ye'd like te hook up wi. Iv ye ask me, at's far ye'v bin gaun wrang."

"Dinna you wirry yersel, Stevie boy." Ronnie winkit an pattit the bulge in is tap pooch. "They'll bi nae conceivin o ony kine gettin oan – an ess is nae caaed ma lucky sark fir naethin."

"Fit Ah'm tryin te say, iv ye'll jist listen, is at Ah dinna wint ye te only think aboot the superficial things like a slim figir – ere's much mair te some'dy then their size. Attractiveness can bi mizzered in aa kines o wyes: a bonny smile; nice een; an infectious lach."

"Or a nice bum, lang legs an a great pair o knockers," said Ronnie, ignorin is pal's advice.

Stevie leukit exasperatit an said, "Fin ye'v te write aathin doon, it'll gie ye time te raelly think. Se ere shidna bi ony problims wi ye sayin the wrang thing. An Ah'v bin thinkin aboot fit ye shid dee iv ye div click wi onybody."

Ronnie wis aa lugs.

"Weel…fin a lassie asks ye a question, the best thing te myn is ess: afore ye speer somethin back, unnser the question an syne pey er a compliment – mebbe aboot er leuks or er figir."

"Unnser the question syne pey er a compliment," repeatit Ronnie, giein Stevie the thooms-up an gettin oot ower the jeep.

Ronnie haaled open the haall door an handit is ticket t'a gleckit-leukin wifie wi milk bottle glaisses an a dodgy perm.

"Here's a couple o pens an paper," said the wifie. "An ere's plinty mair inside iv ye rin oot. Enjoy yersel!"

Ronnie grinned it the twa bouncers an pushed open the inner door. He coontit aboot forty folk millin aroon the fleer – aabody wis checkin ane anither oot, an a mixter o fear, excitemint an sheer desperation wis hingin hivvy in the air. Tables wi twa cheers it ilky ane fullt the haall an, aiven though aa the windas war stannin open, ye cud hairdly git breath fir the heat. An apairt fae some romuntic meesic playin in the backgrun, an the soun o folk scrattin awa oan wee bitties o paper, ere wis total silence.

If you find that special someone, pass them a note and then take it from there. The wirds Ronnie hid read earlier cam back tull im es he helpit imsel t'a glaiss o wine an a hanfu o nuts, an stairtit cruisin roon the haall.

He wis stannin aboot feelin like a richt spare pairt an winnerin iv he shid mak a bolt fir the door fin some'dy tappit im oan the shooder.

Ronnie furled aroon te see a daark-haired lassie smilin it im. He opened is moo te spik bit she held a fingir t'er lips an said, *"Sshh."*

He fun a tingil o excitemint rin up is back fin the quine's saft skin brushed against is han es she handit ower a strip o paper sayin, *Hi, I'm Pauline.*

Ronnie lifit is een an leukit er up an doon – she wis oan the sturdy side wi a big backside an a chest te maatch, bit she'd a bonny face an hid a richt fine smell o perfume comin aff er.

Pauline lifit er eebroos an leent forrit wi an expecktint leuk oan er face. Ronnie kent she wis wytin fir a reply an is han wis shakkin es he raikit in is pooch fir is pen an paper an wrote doon *I'm Ronnie Henderson.*

He teen a deep breath te steady is nerves es Pauline leukit it the note an stairtit screivin doon somethin else.

Would you like to sit down? said the neest message.

Is a dug a hairy beast? thocht Ronnie, es they made fir the nearest impty table.

Pauline sut doon an stairtit scribblin again.

I've only lived here for a year, said the bittie paper. *Are you a local man?*

Ronnie jist noddit, is moo hingin open like a feel. He cudna keep is een aff Pauline's chest: it wis wobblin an shiverin like a big pink jeelly an leukit like it micht loup oot o er frock it ony meenit. *Ye cud smore in ere an dee a happy maan,* he thocht, teerin is gaze awa fa the mesmerizin sicht.

Yes. I live about five miles away – on a farm. Ronnie recovert is sinses an munaged te write doon is unnser.

An syne he cudna help noticin at Pauline seemt rale interestit in the fack at he hid a fairm, er bonny broon een sparklin es she read the note. *Mebbe ess is the country-luvin quine Ah'v bin leukin fir,* he thocht. *Iv Ah can jist haud it thegither tull the eyn o the nicht.*

Do you speak in the local dialect, Ronnie? said the neest message at Pauline pushed ower the table.

Ronnie noddit again, fannin issel wi's hunkie: the place wis gettin hetter an hetter; is face wis oan fire an he wis sure he cud see a heat haze hoverin abeen the widden fleerboords.

Pauline leukit fair trickit wi ersel es she passed anither note sayin, *Could you write down what you want to say in the Doric?*

Ronnie grinned an scrattit doon, *Ay, Fairly.* An syne he fun imsel stairtin te relax a bittie: he widna hae te wirry se muckle aboot the spellin noo – he cud git awa wi onythin.

I'm from London originally, wrote Pauline, a reed glow at made er leuk affa fetchin creepin ower er chiks. *And I think the Doric sounds very sexy.*

Ronnie thocht aboot the advice at Stevie hid gien im an, the mair he leukit it Pauline, the bonnier she wis gettin. An fit wis aiven better – she seemt like the kinna lassie fa wid ken er wye roon a kitchen an widna fooner it some o the hivvier jobbies at needit deein aboot the fairm. *An oan a personal livvel,* he thocht, is een slidin fae er face te the swall o er breests, *Ah'd aye bi sure o a saft enuch pilla fir ma heid.*

An syne Ronnie aboot loupit oot o'is skin fin Pauline raxxed ower the table an squeezed is airm. He teen a great gulp o'is wine, aa is nerves comin floodin back it the touch o er han.

The temperature in the room felt like it hid siddenly hut bilin pynt; great weet 'rings o nae confidence' hid appeart oan the oxters o'is holiday sark an is feet war absolutely plottin in the thick Wellington socks. His taes squelched fin he wriggilt em aboot an – war nor at – is feet war stairtin te hum like a bit o blue cheese.

Ronnie drew is sheen in aneth the table an leukit it Pauline fa wis smilin kinely it im. The watter wis rinnin doon is face an intull is een. He moppit is broo wi's hunkie an winnert foo is companion cud munage te leuk se calm an composed fin the place wis like the hethoose it the Duthie Park. Bit Pauline wis aye es fresh-faced an fragrant es she'd bin fin she'd tappit im oan the shooder, an the only hint at she wis finnin the heat wis a wee bittie o moisture shinin oan er tap lip.

It's awfully hot, isn't it, Ronnie? Pauline leukit a bittie concerned es she wrote anither note and handit it ower.

Christ, Ah'm near awa t'a greasy spot, thocht Ronnie, is palms soakin an the biro slippin throwe is fingirs es he attemptit te pen is reply. He dried is hans oan is briks an wis jist aboot te write doon, *Ay, it's affa het in here* fin he siddenly mynd aboot Stevie's second bit o advice: 'Unnser the question an syne pey er a compliment.'

Ronnie dichtit is face again an leukit up te see Pauline wytin patiently. Bit he cud hairdly think stracht fir the heat. His sark wis soakin an is brains war bilin es he struggilt te come up wi somethin te say. An syne it cam tull im – the perfeck response.

He thocht again aboot fit Stevie hid said es he scribbilt doon is message. He faaled the paper in twa an pushed it ower the table.

An syne naethin cud hiv prepared Ronnie fir fit happent neest.

Pauline unfaaled the note, er dial daarkenin an er broos githerin es she read its contents. She steed up, threw the bit paper it is heid an gied im a skoor in the lug at made is falsers dirl.

An the neest thing Ronnie kent, Pauline wis bubblin an greetin an bein comfortit bi the gleck oan the door, an he wis bein teen bi the scruff o the neck an escortit fae the haall.

"Git aff ma!" he shoutit, es he wis shoved doon the steps an onte the street.

"An think yersel lucky wi hivna phoned the bobbies!" said ane o the bouncers, strachenin is tie an disappearin inside.

Ronnie's heid wis spinnin an he wis tryin te git is breath back fin he spottit Stevie's jeep comin up the street. "Ah didna think ye'd be here yet," he said, loupin in ower. "It's only ten o'clock."

"Ah gaed in by te see some'dy Ah ken in Tarves an syne Ah thocht Ah'd bi es weel te hing aboot in the Square an wyte."

Stevie pyntit te the reed mark oan Ronnie's fizzer. "Fit the hell's happent te ye noo? Hiv you bin fechtin again?"

"Nae exackly." Ronnie turnt awa so's pal cudna see is embarrassmint. "Bit Ah'm tellin ye ess, Stevie, Ah'm feenished wi weemin fir gweed – Ah'll nivver unnerstan em iv Ah live te bi a hunner."

"Se ye did meet some'dy interestin, than?"

"Oh, ay. Ah met in wi a lassie caaed Pauline an Ah thocht wi war gettin oan like a hoose oan fire," said Ronnie, confusion ragin inside im. "She wisna fit Ah'd usually go fir – a bit oan the stoot side bit pleasant an bonny enuch fir aa at."

"Ay, se fit gaed wrang?"

"Ah... Ah'm nae richt sure. Ah... Ah... "

"Jist calm doon, Ronnie, an tell ma exackly fit teen place."

"Weel, aathin wis gaun gran. Wi war passin notes back an fore an gettin oan jist ding-dong, like."

"Bit fit wis the hinmaist thing at wis said?"

"Weel, ere wis a maist helluva heat, an Ah must hiv leukit like Ah wis strugglin cis Pauline wrote oan er strip o paper an speered iv Ah wis ower het."

"Ay?"

"An at wis fin Ah mynd fit ye'd telt ma afore Ah gaed in: 'Unnser the question syne pey er a compliment.'" He felt is face reeden wi indignation afore addin, "Se Ah made sure Ah did baith fin Ah wrote doon ma reply."

"Se fit did it say?"

"Ah hiv't here." Ronnie raikit in is pooch. "*Ay, it's het in here,*" he said, readin fae the bittie o scrunched up paper, "*bit ye dinna sweat much fir a fat quine.*"

The Clock oan the Waa

Winner of the Doric Festival Writing Competition 2006

Lily Milne's a resident o Sunshine Grove Nursin Home. She's ninety-echt an the aulest bodie in the place. Riddled wi arthritis, she nivver complains an, although she's weel-cared fir, ilky time Ah see er, Ah jist wish Ah cud tak er hame.

Ess is the story o a day in Lily's life:

Tick, tock, tick, tock…

The clock oan the waa leuks doon oan ma wi its muckle fite face. Big black hans pynt oot the snail's-pace progress o the day, an Ah winner foo time can creep by se slow fin it eesed te flee se faist.

"This arm first, Lily," says a carer in a green uniform. "There we go now – all done."

Ay, Ah'm done – completely done, Ah think te masel. An Ah wint te tell er at Ah dinna like at reed cardigan, an espeeshully nae wi ess maave skirt. Och, bit fit dis it maitter? Ah'm only an aul wifie fa sits in a cheer. An Ah s'pose Ah'm lucky it's my cardigan – ma claes ir aye gettin mixed up ir tint athegither.

"What about this necklace, Lily?"

"Please yersel," Ah say, an syne Ah feel guilty cis it's affa gweed o the lassie te bother tryin te mak ess fadit flooer leuk presentable.

"At's nice." Ah smile an touch the string o pearls it ma neck – Ah eesed te like dressin up, bit noo it's aa shapeless cardigans an sinsible sheen.

Ah sigh an leuk doon it ma aul an worn-oot bodie: Ah eesed te bi stoot bit noo ere's naethin o ma; Ah'v hans at winna grip an airms at winna boo; fingirs, like twistit twigs, lie idle in ma lap an swald feet spull ower the heids o ma carpets.

"You look lovely, Lily," says the lassie, takkin ma doon in the lift te jine the ither residents. Wi sit in a circle it Sunshine Grove – leent up against the waa like broken ornamints.

Tick, tock, tick, tock...

The clock oan the waa says it's brakfast time: porridge, buttered toast an straaberry jam an a hanfu o the medication at keeps ma churnin oan an oan...

"We'll take you through to the dining-room fir breakfast, Lily. You'll enjoy the company," says anither carer, rowin ma wheelcheer throwe the hoose.

An Ah wint te tell er at Ah dinna wint the company – dinna wint te sit aside aul Jimmy fae skails doon is front an rifts efter ilky moofu – dinna wint te sit aside Elsie fa spiks te folk at irna ere.

Bit Ah dinna say onythin – at wid seem unsociable an ungratefu, tee, fir the staff ir affa nice it Sunshine Grove.

Tick, tock, tick, tock...

The clock oan the waa says it's fly-time: hame bakes an a cup o wyke tay.

An syne a bit o a commotion gits up – Elsie's tryin te git er claes aff an she's hid anither accident. She's greetin an haalin it er troosers cis she's nae comfy; an er teeth, ower slack fir er withered moo, ir clackin up an doon es she tries te spik.

"Now, now, Elsie, you're okay," says a kindly carer, brushin a wisp o fite hair fae Elsie's broo. "We'll soon get you sorted out."

Ere's a weet ring spreadin ower the front o Elsie's briks an she's still claain it ersel. Ah turn awa feelin hairt sorry fir er an glaid fir masel it the same time – gratefu it's only ma backside at's dottled. Bit Ah s'pose Elsie's neen the wiser – disna ken fit's happenin. An Ah winner iv it's mebbe her at's the lucky ane.

An syne Ah'm fullt wi a new dread: the fear o smellin – o smellin an nae kennin. An Ah ken Ah shidna say ess, bit ere's a funny stink aboot ess hale place. It's clean enuch bit ere's aye the same sickly smell: a mixter o cubbuge, incontinence an plain biscuits. Iv only they'd open a winda an lut the fresh air in te blaaw awa the cobwebs, bit ere's ayewis some'dy caal it Sunshine Grove.

Tick, tock, tick, tock...

The clock oan the waa says it's denner time: soup, beef an tatties an a poodin, tee. Appairently, it's easier oan the stamacks o the elderly an infirmed te hae their hivviest meal in the middle o the day.

Feedin time taks up a gweed oor-an-a-hauf an syne it's back te the lounge te waatch TV. Efter a fyow attempts, Ah munage te pull a hunkie fae the string bug at's hingin oan ma wheelcheer. It's string so's Ah can see fit's in't wi'oot haein te raik.

"Do you want to go back up to your room, Lily, or are you all right here?" speers a carer, ariddy parkin ma in front o the box.

"Ah'll jist bide doon here," Ah say, cis Ah ken the peer quine's hashed an Ah dinna wint te hinner er.

"That's fine, Lily." She leuks relieved at she winna hae the wirk o trailin ma back upstairs. "Maybe you'll have some visitors this afternoon."

"They'll bi naebody in throwe the day. Aabody's wirkin – like yersel," Ah say, smilin it the lassie es she hans ma a magazine an disappears.

Nae visitors come bit Jessica draps in by insteid: she's the wifie fa tries er best te keep's amused. Ilky ither day it's bingo, bools, cairds or knittin. Jessica's a topper bit Ah'm nae raelly in the humour, se Ah close ma een an mak oan Ah'm sleepin.

Tick, tock, tick, tock…

The clock oan the waa says it's suppertime: caddlers an toast, bannocks an scones.

An syne it's back te the lounge fir anither sleepy seat afore bedtime. Ma soaps ir oan bit the soun's turnt doon – nae at ye can ivver hear't ower aa the newsin an clocherin. Se Ah close ma een an hae anither forty winks.

"LILY!" Ah nursie roars in ma lug an shaks ma airm. "It's your daughter!"

Ah lift ma heid an blink es Janet's face comes inte focus. Ah'v a sin ana, bit Brian bides in Canada – an it micht es weel bi the meen.

"Foo ye deein, Mam?" Janet pulls up a cheer an sits ersel doon.

"Oh, Ah'm fine," Ah say, pattin er han. Ah canna help noticin at she leuks affa tired an draan, the demauns o life hingin hivvy oan er shooders. An syne Ah feel guilty at she his te tie ersel up like ess – she veesits ilky nicht, cam rain, snaa or shine. Ma dother needs a holiday – fae me an Sunshine Grove.

"Fit'v ye bin up tull the day, Mam?"

"Oh, Ah'v hid a luvly day, Janet," Ah say. "Wi'v bin playin bools an bingo." The laist thing at lassie needs is ony mair wirry, se Ah gie er a smile at hides the wye Ah feel inside.

"Fit did ye hae fir yer denner the day?" she asks.

Ah tell er, an at's the wye the convirsation usually gangs. Ere's nae muckle te spik aboot, ye see: ony spare time Janet his, she feels she his te come an see me; an aa I ivver dee is sit in ess cheer.

Janet sighs an stares it 'Coronation Street' playin awa silently oan the wide-screen TV.

"Ah'm tired, lass," Ah say. "Ah think Ah'll awa te ma bed."

"Ah'll haud up the road, than, Mam." Janet leuks relieved te bi gettin an early pass – a couple o precious oors tull ersel.

She gies ma a kiss oan the chik an Ah ken she's winnerin iv she shid help ma back te ma bed or no.

She turns it the glaiss doors an waves, an ma hairt's sair cis Ah ken she's feelin guilty fin she shidna.

An inside Ah'm greetin an Ah wint te say, "Tak ma wi ye!" Bit Ah wave an smile insteid. It widna bi fair te ask ony mair o Janet: she's er ain life... an Ah'v hid mine.

Tick, tock, tick, tock...

The clock oan the waa says it's time fir cocoa, bed an the peace an quait o ma ain quaarters. It's a nice enuch roomie, wi a shared toilet in the lobby an a bonny view ower the gairden.

The twa carers at git ma riddy fir ma bed ir busy newsin aboot a planned nicht oot: a nicht o duncin, laads an fun. An Ah wint te say, "See ess rickle o beens in the pink goon? – she's dunced, ay, an hid er share o bonny laads, tee; she wis a luver, a wife, a mither an a freen."

Bit Ah dinna say naethin like at.

"Comfy, Lily?" speers ane o the quines es she tucks ma in.

"Thunks, dearie," Ah say. "At's luvly."

Ah lie an listen te the lassies, aye spikkin aboot their nicht oot es they pit oot the licht.

An syne Ah'm owerwhelmed bi a grief an sadness at maks ma hairt sair: grief fir the life Ah'v loast; fir ilky regret an kine wird left unsaid an fir aa the things at'v passed ma by.

A tear rins doon ma face es ma een adjust te the hauf-licht. Ah sigh an leuk aroon ma room. Ere's nae muckle in't: ma bed; a chest o draars; a shelf wi some o ma ain knick-knacks; a waardrobe an a waash-han basin.

Ah rax ower te the bedside cabinet an tak doon a photie o ma maan, Nat. Ah canna raelly see the aul sepia snap verra weel, bit Ah dinna need tull – ilky line o'is face is imprintit oan ma memory. Ah'm stannin aside im in the photie an wi'r young an happy wi wir hale life streetchin afore's.

Ah close ma een an myn aboot wir wee craftie aside New Deer an the haird-wirkin life wi enjoyed: Ah see the bleak beauty o the Buchan fairmlan rollin oot aroon ma; feel the caal Northeast win oan ma face; hear the cry o the gulls an the lachter o the bairns wi brocht inte ess warld.

Bit at wis in anither life...

"Fit wye did ye hiv te ging awa an leave's?" Ah say, openin ma een an tracin is smilin face wi ma fingir. "Left te face aul age oan ma ain."

Bit Ah'm smilin noo, kennin at although the passin o the ears his left ma bodie broken, fit's in ma hairt an heid is aye intact. An Ah ken, tee, at Ah'm nae in here te git better: ess is Goad's wytin room an Ah'm jist deein ma time – guilty o the crime o livin ower lang. Bit Ah'm clean an waarm an fed, se Ah canna compleen. Me an Sunshine Grove'll jist hiv te bi deein wi ane anither tull the gweed Lord decides te tak ma hame.

Ah pit Nat's photie back oan the bedside cabinet, syne close ma een an pray fir the escape at only sleep can bring: blessed relief fae the boredom, loneliness an pain.

Ah faa awa fir a filie, bit a soun sleep's hard te come bi fin ye sit an snooze aa day.

Tick, tock, tick, tock...

The clock oan the waa leuks doon oan ma wi its muckle fite face. Big black hans pynt oot the snail's-pace progress o the nicht, slow-mairchin roon the wee sma oors tull the clatter o the carers signals the stairt o anither day it Sunshine Grove.

Choo...Choo...Donald

The following drama involves ma lang-sufferin maan, Donald. An although fit happent wis an affront fir him an a bit of a shame, raelly, Ah jist cudna keep a stracht face. Ah leuch aboot it fir days.

He said it wis aricht te tell ye the story. Se here goes...

"Ah'v telt ye foo te dee ess a hunner times." Donald tittit an sighed. "Ir ye a feel or fit?"

Ah felt like a feel es Ah waatched is fingirs flee ower the keyboord o ma new laptop. Seconds later, the computer buff hid wirked is magic an the problim wis sortit.

"It's quite simple," he said, tryin te soun patient. "It's jist you at maks it complicatit."

"Bit ere's an affa lot te learn: uploadin, doonloadin, formattin, wireless internet connection, USB ports..." Ah grinned an leukit up it im. "I can myn fin 'log on' meent haivin anither stick oan the fire."

"Ye soun like some aul duffer." Donald gied is heid a shak. "Ye ken, ye raelly shid bi showin a bittie mair interest – aa ess new technology cud help ye wi yer wirk. Yer brain's aye young enuch. Ye shid bi meevin wi the times – keepin up te date wi aa the latest developmints."

"Ay, fitivver," Ah said, wi'oot muckle enthusiasm. "Ah'v telt ye afore, Ah jist wint te git oan wi writin ma stories. Ah'm nae interestit in yer hard drive an aa yer cairry-oan."

"Huh! Iv it wisna fir me, ye'd aye bi scrattin awa wi a pincil. An at's anither thing – Ah'm fed up wi aa yon bitties o paper lyin aboot aa ower the place. Fit's happent te the electronic notepad Ah gied ye fir yer Christmas?"

Ah jist smiled es Ah thocht aboot it lyin in the draar neest te ma TomTom route planner an aa the ither gadgets designed te mak life easier.

"Ye ken, Ah fin it hard te believe ye can write a bliddy book, bit yet ye canna or *winna* mak the effort te git yer heid roon the simplest technology. Fit's gaun te happen te ye iv I dee?"

"Ah'll jist lie doon an dee an aa," Ah said wi a smile.

"It least ye'r nae es slow aff the mark es yer pal, Suzie," said Donald, takkin a bit lach t'imsel. "She cudna poor pish oot o a beet wi instructions oan the heel. Div ye myn fin Ah bocht ma first computer an she caaed the 'mouse' a 'mole'? An myn fin ye gied er yer aul mobile an she caaed it a 'phonebile'?"

"Ah dinna think she'll ivver bi alloot te firget." Ah sighed. "Bit Ah wish ye widna termint er. Naebody's perfeck – aiven you."

"True…" He noddit. "Bit yon quine's jist a waakin disaster. An ye hiv te admit, she's nae the brichtest button in the box – er shewin machine's oot o threed an er skylicht's definitely luttin in."

"Suzie's nae daft," Ah said, stickin up fir ma freen. "Things jist happen tull er an trouble seems te follae er aroon. Ah'v loast coont o the scrapes she's gatten ersel intull."

Donald raised is eebroos afore sayin, "Noo, lut's git back te ess laptop an Ah'll show ye foo te compress yer files."

"At's souns sair." Ah pulled a face. "Can wi nae dee't later?"

"Ye ken ere's a name fir folk like you – Ah read it somewye."

"Ay?"

"Technophobe!" said Donald, is face brichtenin es the wird siddenly cam tull im.

"Techno-fit?"

"It's some'dy at's terrifeed it technology – the kinna bodie at's feart te try an git te grips wi onythin new."

"Ah'm nae feart. It's like Ah'v telt ye afore – it's jist at Ah'm nae interestit. An, onywye, me an machines nivver agree – they'v myns o their ain."

"At's jist an excuse – a cop-oot. An it's nae jist the computer ye'v trouble wi. Ye canna myn foo te wirk onythin: the Sky remote, the video, the DVD player, yer phone…" His vyce tailed awa. "Far *is* yer mobile?"

"Oh… it's ootside in the car."

"Weel, it's nae muckle gweed tull ye ere, is't? Foo mony times hiv Ah telt ye? Mak sure ye hae yer phone oan ye *aa* the time. Ye nivver ken fan ye'll hae an emergency."

"Ay, ay," Ah muttert, thinkin aboot the new mobile at Donald hid proodly presentit ma wi the ither day: a pey-es-ye-go shiny silver communications sensation wi polyphonic ringtones an a megapixel camera an video; it flashes an dirls, his blue tooth technology, somethin caaed WAP an dis aathin bit the dishes.

"At's some phone ye hiv noo!" said Donald, leukin fair excitit jist thinkin aboot it. "It's the mobile warld meets cyberspace. Fit it canna dee's nae wirth spikkin aboot."

"Ay, it's great," Ah said, finnin ma face firin up es Ah winnert iv it wis aiven switched oan.

"An myn fit Ah telt ye – dinna roar fin ye'r spikkin in tull't. Jist try an spik normal."

"Weel, mebbe Ah'm jist nae 'normal'," Ah said, grinnin an powkin oot ma tung. "Ah'm awa te ma bed – at's iv Ah can aye myn foo te operate the electric blunket."

*

The neest mornin Ah wis fleein aroon tryin te git aa ma bitties o paper riddy fir a meetin fin Ah saa the note lyin aside the phone: *Arrange a lift for Suzie* it said. Ma hairt loupit in ma chest – Ah'd firgotten aa aboot er. Ah liftit the phone an dialled Donald's nummer.

"Ay, it's jist me," Ah said. "Ah'v jist mynd at Suzie speered iv some'dy cud gie er a lift. She's te ging inte Aiberdeen the day."

Ere wis silence syne:

"Ah hivna time te ging inte the Toon eyvnoo. Ere's folk aff nae weel an Ah'm up te ma een. Ess is a garage, ye ken, nae a bliddy taxi service."

"She disna wint ye te tak er inte Aiberdeen. She jist wints a lift doon te the ten o'clock train in Inverurie here. She's a load o claes an baked beans te tak inte'r dother in the Haalls o Residence it the University. Ye canna hae er trailin a muckle case aa the wye fae the heid o the Toon an humphin it in ower the train bi ersel."

"Ah canna believe er dother bides in ere fin she cud ging back an fore oan the bus," said Donald, side-steppin the issue o the lift. "Myn you – fa wid *wint* te bide wi Suzie?"

"Ir ye gaun te gie er a lift or no?"

"Fit wye can *you* nae tak er?"

"Ah'v meetins aa day, an Ah dinna ken iv Ah'll bi free it at time."

"Ah s'pose Ah'v nae option bit te pick er up, than. Tell er Ah'll bi up it ten tull an te bi riddy an stannin ootside – Ah hivna time te bugger aboot."

*

Ah leukit it ma waatch es Ah cam oot o ma meetin. It hidna teen es lang es Ah'd thocht an Ah steed fir a meenitie an winnert iv Ah'd mebbe still munage te catch Suzie it the station.

Ah saa Donald's van sittin in the car park an Ah burst throwe the first set o glaiss doors jist in time te see im stannin in ower the train, strugglin te lift Suzie's muckle case.

"NO!" Ah held up a han es iv it micht stop fit happent neest: the cairrage doors slammed shut an syne aathin seemt te bi gaun in slow motion es the train stairtit te meeve awa.

"Oh, fir the luv o Goad. Fit'll Ah dee?" Ah cried, stannin oan the impty platform wi ma hairt in ma moo. Ah waatched es the train disappeart fae sicht wi its stowaway oan board. "He's gaun te completely loase the heid aboot ess."

An at's fan Ah siddenly mynd aboot the new phone in ma hunbug.

Ah held ma breath es Ah tried te myn foo te wirk it. Finally, Ah munaged te fin the list o contacts an scrolled doon tull Ah cam te *Donald*.

It rung an rung an syne a vyce said, '*You have reached the O2 voice mail service. Please leave a message after the tone.*'

Ah canna believe ess, Ah thocht, *efter the amount o times he's threepit doon ma neck te ayewis tak ma phone.*

Twa seconds later ma ain mobile stairtit te flash an play *Stand by your Man* (his choice, nae mine). "Ay…," Ah said.

"It's jist me." Donald wis spikkin laich an soundit like he wis tryin te keep the heid. "Ah'm…Ah'm phonin fae Suzie's mobile.

An Ah ken Ah said ere wis nae need te roar, bit ye'll need te spik up – ere's a bittie o backgrun noise here."

"FAR IR YE?" Ah baaled doon the phone es lood es Ah cud an syne speered, "Far's *your* mobile?"

"Em…em…It's eh…Ah'v left it in the van, like."

"Weel, it's nae muckle gweed tull ye ere, is't?" Ah wis glaid he cudna see the grin at wis spluttin ma face. "Ye shid hae yer phone oan ye *aa* the time. Ye nivver ken fan ye micht hae an emergency. An fit wye hiv you Suzie's mobile?" Ah speered, tryin te soun aa innocent. "Is she aricht?"

"Ay, Ay…she's fine. In fack, Ah'm aye wi er." He gied a nervous kinna lach. "Ye winna believe ess bit Ah'm actually oan the train eyvnoo – oan ma wye te Aiberdeen."

"Ay, Ah ken," Ah confessed. "Ah wis throwe early wi ma meetin an Ah arrived it the station jist in time te git the wint o ye liftin Suzie's case in ower the cairrage."

"Dinna spik aboot it – Ah near broke ma back."

"Se fit happent neest?"

"Weel, the train wis needin aa its meenits an the doors jist gaed tee oan ma. Naethin Ah tried wid shift em. Ah pressed ilky bliddy button Ah cud see, bit they jist widna budge – they'd a myn o their ain."

"Oh, me. Ye peer thing." Ah tried te seem sympathetic. "Ir ye aricht?"

"Ay, jist gran, like," he said sarcastically. "Tickety-boo!"

"Spikkin o tickets – did ye hae ony siller oan ye fir yer fare?"

"No, bit the maanie lut ma aff. Se it least Ah didna hiv te ging beggin te Suzie. Ah wis black affrontit, though. Aa Ah hid in ma pooch wis a Tesco's Clubcard, a fool hunkie an twa stewy pandrops."

"Oh me! At's affa," Ah said, munagin te soun less an less concerned. "Imaagine Suzie mynin er phone fin you hidna. An fa wid hiv thocht at the likes o you cud hae a technological mischanter like ess? Bit Ah s'pose machines can mak a feel o onybody an, aifter aa, naebody's perfeck – aiven you."

"The ticket maanie said Ah can ging es far es Dyce," said Donald, nae risin te the bait, "an syne tak anither train back te Inverurie. Bit Ah telt im you'd likely jist come in an meet ma."

"Oh, bit Ah canna – Ah'v anither meetin."

Ere wis silence an syne a groan o despair.

"Oh, weel...Ah'll see ye the nicht. Enjoy yer day oot!" The hilarity Ah'd bin haudin in siddenly explodit an sae did Donald:

"Ess is a richt waste o a mornin ye ken," he roart. "Ah winna lut Suzie firget fit's happent – Ah'll git a lot o mileage oot o ess."

"Nae hauf es muckle es we wull," Ah said, aye lachin es the line gaed deed.

*

"Ay, ay, min," said Suzie, es Donald cam in fae's wirk it suppertime. "Hiv ye recovert fae yer ordeal?"

"Fit'r you deein here, trouble," he said, giein er a ticht wee smile at leukit mair like a snarl. "Hiv ye nae a hame o yer ain te ging tull?"

"Now, now, than." Suzie wis grinnin fae lug te lug. "Ere's nae need te bi like at. Ah jist wintit te mak sure ye war okay. It wis a damnt shame fit happent te ye ess mornin an you jist tryin te dee an aul freen a gweed turn."

"An Ah'm sure ye luved ilky meenit o't," said Donald, sittin doon oan the settee. "Ah felt like a richt feel – stuck oan a train te Aiberdeen in ma wirkin claes." He sighed an leukit disgustit. "Ah bet ye'v bin haein a fine lach it my expinse."

"Wid I dee at? Ye ken foo fond Ah am o ye," said Suzie. "Wi'v kent ane anither since wi war bairns."

An syne ma pal hid a leuk o pure divvelmint oan er face es she addit, "Ye war aye keen oan trains, bit Ah nivver thocht Ah'd see the day ye'd try an sneak awa oan ane fir a free day oot."

"Git knottit, Suzie!" Donald grittit is teeth. "It's bin a lang day an Ah'v hid jist aboot aa at Ah can stamack."

"Mebbe noo wid bi a gweed time te gie Donald at sirprise." Ah powkit ma freen in the ribs an noddit it the parcel sittin oan the coffee table.

"Ess is fir you," said Suzie, springin onte the settee an handin ower a box tied up wi a bonny reed ribbon. "Wi thocht it micht cheer ye up – mebbe help ye git ower yer traamatic experience."

"…Fit the hell's ess?" He unwrappit the present an glowered doon it its contents: a timetable an a complete guide te railway 'Away Days'.

"*Choo, choo, Donald!*" wi baith chorused afore dissolvin inte fits o lachter.

An syne Ah wis haudin ma breath an winnerin iv wi'd mebbe teen the joke ower far fin Donald siddenly seemt te see the funny side o'is unexpecktit excursion. "Jist git the hell oot o here, Suzie," he said, grinnin noo, es he steed up an roart, "AN TAK YER BLIDDY PHONEBILE WI YE!"

The Mither-in-Laaw

Davie Anderson glowered ower the heid o the paper it is mither-in-laaw.

"Ay?" Jess glowered back it im an buttered er third slice o toast.

"Ah wis jist winnerin iv ere wis ony sign o a Cooncil hoose fir ye yet?" said Davie, leukin it Jess an winnerin iv she'd ony intintions o meevin oot.

He gied a weary sigh: she'd gatten er baffies weel aneth the table, an him an Pattie's three-bedroomed bungalow in New Deer wis faist becomin er permanent address.

"Ye'll hae ma aeten oot o hoose an hame," compleent Davie, es he waatched Jess claain oot the jam jar.

"G'wa! Ye'r hairdly doon te yer laist shillin. An as fir me meevin oot – ye'v plinty room – ere's nae desperate hurry, is ere?"

"Fit aboot yon hoose ye gaed te see it the Broch?" speered Davie, ignorin er question. "Fit wis wrang wi it?"

"Huh!" snortit Jess. "It wis as fool ye'd te dicht yer feet oan the road oot."

"Mebbe ye shid firget aboot a Cooncil hoose, than. Fit aboot pittin yer name in fir a place in an aul folk's Hame?"

"Impident bugger! Ah'm a lang wye fae at. Jist cis Ah'v enquired aboot peyin fir ma final expinses, disna mean Ah'm gettin riddy te dee or ging intull a Home."

"Hiv ye heard o ess new laaw caaed *Involuntary* Euthanasia," said Davie, wi a grin. "It's gaun te bi enforced oan ony pensioner at bides wi their faimly fir mair then sax month."

Jess leukit riled, er dial reedenin es she said, "It's nae my wyte ma hoose gaed up in flames – ye surely widna see ma oot oan the street?"

"Did ye sign up fir at funeral plan, than, Jess?" said Davie, enjoyin steerin up is mither-in-laaw.

"No…Ah decidit jist te leave it eyvnoo. Ah cudna mak up ma myn atween cremation or beerial."

"Tak baith! Jist te mak sure, like. No! Oan second thochts, tak fitivver's chaippest – Ah widna wint ony unnecessary expinse aetin inte ma inheritance."

"Huh! Iv Ah'd my wye, Ah'd mak sure ye didna git yer hans oan a bliddy penny. Ah dinna grudge my Pattie – bit you – "

"Ye'v nivver likit me, hiv ye, Jess?" interruptit Davie, faalin is airms an leenin back in is cheer.

Jess jist grinned an booed doon te clap Hairy, the German Shepherd, fa wis sittin leukin up it er wi twa great lang slivvers hingin fae's moo. "You luv ma, divn't ye, boy?" she said, giein im er hinmaist bit o toast.

"Hairy likes onybody wi a piece." Davie waatched Jess drainin er coffee cup an winnert iv fit folk said aboot yer wife eynin up leukin like their mither wis true. He hopit no, fir Jess wis nae beauty: she'd humps an bumps in aa the wrang places an wis sportin a better mowser then him.

"Ah micht'v kent it'd bi aa doonhill fin ye wore a black hat te wir waddin," said Davie, mynin aboot fit *shid'v* bin the happiest day o'is life. "An ye didna aiven *try* te smile fir the photies or it the reception."

"Weel, it least Ah'm consistint. Ye ken far ye stan wi ma."

"Ah ken fit Ah'd like te stan *oan*," muttert Davie, fantasizin aboot grippin Jess's winpipe aneth is size tens. "An as fir kennin far Ah stan wi ye – ye'v mair faces then the kirk clock."

"Fit's gaun oan doon here, Davie? Ah can hear ye up the stair."

Davie leukit up an sighed es is missus cam inte the kitchen – Pattie hid oan blinkers es far es er mither wis concerned, an he jist wished she cud see er fir fit she wis.

"Ah wis jist sayin te yer mither at it's mebbe time she wis thinkin o meevin oot."

"Weel, it's funny ye shid say at – wi'v the keys te ging an leuk it a hoose it Strichen ess mornin."

"Ye nivver said!" Davie shot Jess a leuk at cud freeze pipes. "Ah'v a day aff. Ah cud'v teen ye masel – jist te mak sure ye git ere, like."

"Ah didna wint te git yer hopes up," said Jess, ignorin is offer. "Ah ken foo anxious ye ir te git redd o ma."

"Oh Mam!" Pattie teen a haud o er han. "Wi'v luved haein ye te bide. Ye'v bin sic a help te ma. In fack, wi sometimes canna think fit it's gaun te bi like wi'oot ye. Can wi, Davie?"

"No...," muttert Davie sarcastically, "...bit wi can aye dream."

Pattie ignored im an haaled oan er jaicket. "Wi'll see ye fin wi git back, than. An dinna firget – Hairy's an appintmint ess mornin fir is jabs."

Davie fussled t'imsel es he fullt the dishwaasher. "C'mon, Hairy, laad," he said. "Wi'll ging an see the veterinary an syne wi'll hae a waakie up the wids. An, hopefully, it winna bi lang afore the weemin git back fae Strichen wi the gweed news.

*

Davie leukit oot the kitchen winda te see Pattie's car draain in aboot. Jess wis sittin in the passenger seat wi a face like thunner.

The front door opened an Pattie cam in first, leukin affa upset.

"Weel? Fan's the flittin?"

"Fit flittin?" She sighed. "Mam wisna pleased wi the size o the livin-room – she thocht she micht bi rale grippit fir room fir er big recliner."

"Dinna tell ma at's stoppit er takkin the hoose? Ah'd iv bocht er anither cheer – ane wi a bliddy plug oan't."

"Davie... dinna... Mam's bin baalin er een oot aa the wye hame. She's fair upset at the hoose wisna ony eese, an she says she's nae comin oot o the car tull ye promise nae te harp oan aboot er meevin oot. She says ye dinna raelly wint er here, an at she disna feel welcome."

"She's *nae!*"

"Please..." Pattie soundit like she wis awa te greet. "Jist try... try an bi *nice.*"

"Aricht, aricht," agreet Davie, shakkin is heid es Pattie gaed rinnin ower te the winda an waved it er mither te come inside.

Twa seconds later, Jess wis stannin it the kitchen door.

"Fit like, than?" said Davie, avoidin er gaze an ony mintion o Cooncil hooses.

"Oh, ye ken...," she sniffit an soundit aa pathetic, "...Ah'v bin better."

Davie leukit up it Jess an fin their een met he felt disgustit at Pattie cud bi se easy teen in wi er. He'd kent is mither-in-laaw a lang time an he cud see richt awa at she wisna near es upset es she wis tryin te mak oot – ere wis a triumphant leuk in er een es she dabbit it er crocodile tears wi a wee lace hunkie.

"Far's Hairy?" said Pattie, interruptin is thochts.

"Ah'v hid te leave im it the vet's," leed Davie, crossin is fingirs, an prayin at Hairy widna stairt yappin it the back door te wun in.

"Fit's adee wi im?"

"Oh, Ah'v decidit te hae is tail teen aff." Davie grinned, aa is promises o 'bein nice' firgotten. "Ah widna like yer mither te think at onythin in the hoose wis pleased te see er."

Luv's Blin

"Ah ken luv's s'post te bi blin." Ah leukit it ma pal, Morag. "Bit it ess rate ye'll seen bi quaalifyin fir yer ain guide dug."

"Wull ye jist gie't a rest?" Morag sighed. "Jist cis Billy's made some mistaks in the past, disna mean te say he canna bi trustit noo."

"It's jist the wye ye aye swally aathin. Can ye nae see fit's glowerin ye in the face?"

"Billy's awa doon te Edinburgh fir a puckle days wi's pals – far's the hairm in at?"

"Bit a wik-en wi Philanderin Phil an Dodgy Derek? An you canna see ony ull in't? – ye'r aff yer heid!"

"Phil an Derek hid te ging doon te Edinburgh te see aboot some wirk an they jist asked Billy alang fir the company."

"Hmmph." Ah rolled ma een. "Ah dinna believe a wird o't. Ye jist see fit ye wint te see. Hiv ye firgotten aboot the cairry-oan wi the young quine it Billy's office pairty ariddy? Myn the excuse he cam awa wi fir at: '*It wis aa the drink she poored doon ma neck – it made me see double an feel singil.*'"

"Ye dinna think he'd dee onythin like at again, div ye?"

"Wid a cat drink milk?" Ah said, kennin bi the leuk oan peer Morag's face it wisna the unnser she'd bin leukin fir.

*

"Far's hissel?" Ah speered, es Ah drappit in by Morag's oan the Sunday nicht.

"He...he's nae back yet." Morag's face wis aa flushed an she leukit like she'd bin greetin.

"Fit's wrang?" Ah sut doon it the kichen table. "Fit's he deen noo?"

"Ah'm ower upset te spik aboot it." She dichtit er een an syne said, "Billy phoned ma ess aifterneen te say he'd bi hame oan a later train an...an at him an Phil an Derek hid bin in the jile aa day yisterday."

"Fit the hell hiv they bin up tull?"

"Weel…" Morag leukit aroon the kitchen like she wis feart onybody wid hear. "It aa happent oan the Friday nicht."

"Fit did?"

"Ye'll nivver believe it," she fuspered.

"No, Ah likely winna."

"Accordin te Billy," said Morag, ignorin ma, "the place they gaed intull wisna the nice bed an brakfast he thocht it wis. It turnt oot at the landlady's neebours hid bin compleenin aboot er fir months."

"Compleenin aboot fit?"

"Weel, seeminly ere'd bin aa kines o shenanigans gettin oan: drinkin an drugs an a lot o kinky cairry-oans an aa. Onywye," she teen a deep breath, "the bobbies raidit the place fin they war ere."

"Bit fit war they aa deein ere? At's fit ye need te fin oot. Ah thocht ye said they'd bookit somewye afore they gaed doon."

"I mynd at tee, an fin Ah said es muckle te Billy, he'd te admit at mebbe Phil an Derek hid kent aboot the kine o establishmint it micht bi."

"An *he* didna?"

"Michty, no!" Morag leukit amazed at Ah cud think sic a thing. "Billy said ye wid nivver hiv kent ere wis onythin amiss fae the ootside. The place leukit like an ornar bed an brakfast, bit it turnt oot te bi a den o iniquity, a place o sin an – "

"Ay, okay, Ah git the picter."

"Peer Billy – he's affa upset."

"Ay, upset he's bin fun oot! He's an excuse fir aathin."

"Oh, it maun hiv bin affa fir im," said Morag, nae takkin ma oan. "Appairently, they war aa showed inte ess room wi some weemin they didna aiven ken. Billy said Phil an Derek insistit oan bidin te see fit it wis aa aboot, bit he wisna happy wi the situation ava. An he wis jist aboot te turn an ging oot fin the bobbies burst in an liftit em aa."

"*Oh! At's terrible!*"

"Ay, Ah ken," said Morag, ignorin ma sarcastic tone. "An the wirst thing aboot it is at my Billy's bin tarred wi the same stick. Yon twa mates o his ir firivver tryin te lead im astray. Iv ye ask me, baith o'em ir a richt baad influence. It wis a case o guilt bi association. He wis jist in the wrang place it the wrang time."

"An ir ye a hunner percent sure at Billy didna ken exackly far he wis? Div ye nae think it's possible he cud bi tellin ye a lot o haivers?"

"Fit'r ye tryin te say?"

"Ah'm jist sayin at Billy aye munages te git roon ye wi some rare excuse, an you'r es feel es ye faa fir't. Ye jist roll ower an lut im awa wi aathin."

"Ah'm nae a complete waak-ower, ye ken." Morag leukit offendit. "Ah'm nae jist gaun te tak Billy's wird fir aathin at happent – he'll hae some explainin te dee."

"Weel, Ah'll believe at fin Ah see't," Ah said, shakkin ma heid in disgust. "An Ah'm tellin ye noo, Morag, fin it comes te relationships, ye git fit ye deserve: iv ye accept shite at's fit ye'll git. An Ah doot iv ye'll ivver git te the boddom o't. Billy widna ken the truth iv it jumpit up an bit im oan the erse."

*

"Here's wir maan noo!" Ah steed up te see a taxi comin in aboot, a weary-leukin Billy climmin oot o the passenger seat. "You ging ben the hoose, Morag, an dinna leuk like ye'r excitin yersel aboot seein im."

"Ah micht hiv kent *you'd* bi here," said Billy, teetin roon the neuk o the kitchen door.

"Ye'r back, than, Pinnochio?" Ah gied im a leuk at telt im Ah kent fine fit he'd bin up tull. "Aa the lees ye'r tellin, Ah'm sirprised ye can git at lang nib o yours throwe the door."

"Shaddup, wull ye, ye meddlesome bitch," he hissed. "Ah'm in enuch trouble wi'oot you pittin yer mit in."

"BILLY!"

Ah waatched es Morag cam rinnin back throwe an threw er airms aroon er maan, aa er spik o makkin im explain imsel firgotten.

"Ir ye aricht, darlin?" she said, huggin im ticht. "Ah'm at pleased te see ye."

Billy grinned it ma ower er shooder, leukin like he thocht he wis hame an dry.

An syne ma hairt liftit fin Morag siddenly seemt te myn she wis s'post te bi gettin some unnsers fae Billy.

"Weel, Ah'v heard fit happent an Ah can tell ye noo – Ah'm nae impressed. It aa souns rale sispicious te me an *you*," she said, pullin awa an pyntin an accusin fingir it er maan, "hid better think o a bliddy gweed story – ay, an pretty damnt quick."

"Oh, Ah dinna ken iv Ah can face gaun throwe it aa again the nicht: it wis at traamatic." Billy seemt a bittie teen aback bi Morag's show o assertiveness an sut doon it the table. "The hale cairry-oan wis aa doon te Phil an Derek," he said, shakkin is heid an munagin te leuk suitably devastatit. "Bit Ah'm still sorry aboot wirryin ye like at – Ah raelly am."

"Ay, Billy, Ah…Ah ken ye widna dee onythin wrang intintionally."

Ah gied a sigh o exasperation. Morag wis stairtin te waiver an hesitate, an Ah cud tell bi the leuk oan er face at er resolve te mak er maan explain imsel wis disappearin like butter aff a het knife.

An syne Ah kent at luv raelly wis blin, fin a pathetic-sounin Billy leukit up it is missus an said, "Ah dinna s'pose ye'll ivver trust ma again noo?"

"Iv coorse Ah wull," said Morag, er een saftenin es she caved in wi'oot a fecht.

"At's great, than!" said Billy, brichtenin instantly an syne comin awa wi the best excuse Ah'v heard yet: "It wis naethin te dee wi me, onywye – I wis jist haudin the briks!"

Gettin yer Priorities in Order

"That's two on." The wifie at run the dietin club it Ellon scrat, scrattit oan Roy Middleton's bookie.

"Twa pun oan!" He glowered doon it the digital scales. "Ah canna believe at, like."

"Well, I'm afraid the scales don't lie, Roy." The slimmin wifie leukit up and smiled afore speerin, "Do you know where you went wrong? Was there something you think you did differently?"

"Weel, Ah'm nae richt sure." Roy reedened es he mynd aboot aa the chocolate he'd aeten, the late nicht raids oan the fridge an the 'buy ane git ane free' lager fae Asda. "We did hae veesitors it the wik-en," he said, finally comin awa wi an excuse.

"Did you eat them?" The slimmin wifie gied a smug smirk and handit ower is record caird. "Let's see at least three off for next week."

Impident bitch, thought Roy, takkin a seat es far awa fae the wifie es he cud wun. "Foo did ye git oan, than?" He meeved ower a bittie es is missus, Harriet, sut doon.

"Three pun oan," she said, leukin fair disgustit wi ersel.

Roy sighed an rolled is een es the slimmin wifie stairtit spikkin.

"Occasionally, there are medical conditions why people can't lose weight." She faaled er hans an smiled. "But just remember that nobody ever got to be fat by binging on fruit or veg. Being overweight is almost always down to consuming the wrong foods and simple over-eating – and it's all too easy to blame everything on a glandular problem or even an under-active thyroid."

"Ay, Ah'v ess glan at maks ma a greedy bugger," roart Roy. "An it's nae jist ma thyroid at's under-active."

"Ay, at's true – he gits mair idle ilky day." Harriet giggilt an addit, "Bit he wisna ayewis like at – it stairtit aff wi a lazy ee."

"For anyone who didn't lose weight this week," said the wifie, ignorin em baith, "do you think you can identify where you're going wrong?"

"Michty ay, quine." Roy grinned. "It's fin ess hole," he pyntit tull is moo, "is bigger then yon ither ane."

A titter wint roon the haall, bit the slimmin wifie nivver turnt a hair an cairriet oan wi er speel:

"Tonight I want to speak to you about a simple, yet enjoyable, way that you can really speed up your weight loss. Yes!" she said, clappin er hans. "It's EXERCISE!"

"Oh, Goad." Roy powkit Harriet in the ribs. "Yon's a dirty wird te me. Ah'm wirkin up a swate jist thinkin aboot it."

"You seem to have plenty to say tonight." The slimmin wifie pickit oan Roy. "Maybe you'd like to give our new member, Mike, a bit of helpful advice about food before we move on to discuss the benefits of exercise."

"Nae bother ava." Roy furled roon in is cheer te leuk it the latest recruit, is brain wirkin overtime es he struggilt te think o somethin te say. "Ah ken!" he said, finally. "Nivver aet a Curly Wurly in yer bed – maks a helluva mess o the sheets."

The class eruptit an Roy fun imsel flushin wi pleesure. He hidna loast muckle wecht since he'd bin comin te the dietin wi Harriet, bit he aye munaged te mak abody lach.

"Thank you for that pearl of wisdom, Roy." The slimmin wifie gied im a grudgin smile an the soun o impty bellies rummlin fullt the room it aa the spik o aetin.

"Ah dinna think Ah'v ivver hid a Curly Wurly," said the new recruit.

"Weel, ye hivna lived, laad," enthused Roy. "Luvly caramel candy covered in flaky milk chocolate – it's the booiest, chaaiest, streetchiest sweetie ye cud ivver imaagine. It's ma favourite thing te aet in aa the warld – ane o life's great pleesures."

"May I just remind you, Roy," said the slimmin wifie, sounin exasperatit, "that nothing tastes as good as slim feels and, if you're ever going to reach that magical target weight, you really need to start getting your priorities in order – decide what you want out of life."

Roy shruggit is shooders an grinned.

"Now, everyone, what about exercise?" speered the slimmin wifie. "Can you all touch your toes?"

"No, Ah canna," said Harriet, "bit Ah can still gie em a wave."

Anither titter wint roon the haall.

"Ah git oot o breath jist gaun te the fridge," said Roy. "An Ah'm as unfit Ah'm aiven feart te lut ma imaagination rin wild."

"Has anyone else got anything they'd like to say?" The wifie leukit hopefully ower the raas o cheers bit wis greetit wi faaled airms an silence.

"Fit's ess she's comin awa wi, noo?" Roy elbaed Harriet in the ribs. "Leuks like some gear oot o a torture chamber."

"I've taken along some keep-fit equipment tonight." The slimmin wifie pyntit te the array o apparatus sittin oan the fleer. "We've got an exercise bike and a step machine for fat burning and resistance bands and some lightweight dumbbells for toning those flabby bits. And for the less energetic amongst you," she said, haudin up a snorl o leads an roon plastic pads, "we've got an electronic exerciser that you can use to artificially stimulate muscle groups with the minimum effort."

"Ah'll mebbe try at," said Roy. "Ah'm nae a fan o ower strenuous physical exertion – aa at loupin up an doon micht mak the ice jump oot o ma glaiss."

"Have you ever tried any kind of exercise, Roy?" The slimmin wifie seemed keen te salvage somethin fae the discussion.

"Ay, wi did hae an exercise bike, didn't wi, Harriet? It sut it the fit o the bed fir aboot twa ear. Wi gat fed up wi't stickin aboot an pit it oot te the garage."

"But did you find it useful at the time?"

"Michty, ay. It wis affa handy – jist the job fir hingin yer briks oan."

"Okay…" The slimmin wifie leukit like she wis strugglin, an Roy wis enjoyin ilky meenit. "Forget all these gadgets. I want you to think about something that's accessible to everyone here. You don't need any fancy equipment to enjoy this activity and what's even better – it's free!"

Roy sut up an teen notice it the wird 'free'.

"It's not sexercise, is it?" said a glamorous-leukin lassie fa wis sittin aside Roy.

Harriet trampit oan er maan's taes, daarin im te say onythin.

"No, Linda." The slimmin wifie leuch. "It's not – it's walking!"

"Waakin," repeatit Roy, leenin forrit an smirkin it the quine wi the blondie heid an the lang broon legs. "Ah widna advise at, like."

"And why not, Roy?" The slimmin wifie sighed an leukit riddy te gie up.

"Ah'll tell ye aboot waakin. Ah'd a pal at teen it up fin he wis fifty. He stairtit waakin ten mile a day – an noo wi'v nae idea far he is."

"You're on good form tonight, Roy." The slimmin wifie smiled an gied er heid a shak. "It's just a pity that you couldn't show the same enthusiasm for losing weight as you do for wise-cracking."

"Ay, ay, ye'r mebbe richt," said Roy. "An Ah wull hae a think aboot takkin up some kinna exercise." He grinned it Blondie. "It's ae wye te mak sure Ah git te hear some hivvy breathin again."

*

"Ir ye sure aboot ess?" Harriet rubbit the sma o er back es she helpit Roy humph the aul exercise bike oot o the garage an inte the bedroom.

"Weel, Ah can gie't a try." He stuck is belly oot es far es it wid gang. "See iv Ah canna shift some o ess excess baggage."

Five meenits later, Roy wis stannin wi a pedal in is han sayin, "Ess bliddy thing's goosed. Och, weel," he gied the bike a shove, "at's at, than – exercise abandoned. Lut's hae a fly."

"It'll mebbe sort," said Harriet. "Ah'll nip up te the Sport's Centre an see iv they ken o onywye ye can git a haud o spare pairts. Pit oan the kettle. Ah winna bi lang."

"Tak yer time!"

"An nae cheatin fin Ah'm awa!"

"Nae cheatin! Ere's bugger aall te aet in ess hoose since wi stairtit dietin," muttert Roy, openin aa the cupboords an leukin fir a decent fly piece.

*

Roy wis sittin sookin oan a Ryvita fin Harriet cam breengin inte the kitchen. "Ah'v gat ye a present," she peched, breathless wi excitemint.

"Fit is't?" Roy rippit open the invelope. "Oh, no, Harriet," he said, leukin doon it the receipt an the glossy leaflet. "Ah canna ging ere – a muckle, fat clort like me."

"Iv coorse ye can. The gym's fir aabody: the young, the aul, the fit, the nae se able." Harriet smiled es she quoted the skinnymalink ahin the desk it the Sport's Centre. "They said it's a gweed idea te weer somethin lowse-fittin an comfortible."

"Hmmph. Iv Ah'd ony claes at war lowse-fittin or comfortible Ah widna bi gaun, wid Ah?"

"Dinna wirry aboot it." Harriet pattit the back o'is han. "Wi'll git ye a nice pair o shorts an a vest top."

"Ah'm nae gaun up ere te loup aboot in shorts an a T-shirt," grummled Roy. "The size o ma…Ah'll git arrestit. Na, na, Ah git plinty o exercise jist gaun aboot."

"Weel, ye ken fit the wifie it the dietin said." Harriet faaled er airms an leukit determined. "It's nae the same. It's aerobic exercise ye need – somethin te wirk up a swate an git yer hairt racin."

"Foo muckle did ye pey fir ess membership?" speered Roy, leukin fir is glaisses.

"Ah jist teen the ae month fir a stairt – in case ye scunner o't."

"An fit did ye fork oot fir at?"

"Jist thirty poun."

"Fit! Bliddy hell, Harriet, it's wirkin ariddy – ma aul ticker's gaun like the clappers."

"Now, now." Harriet gied im a reassurin smile. "Jist sattle yersel. Wi'll ging doon the road richt noo an git ye aa kittit oot."

*

Hauf-an-oor later, Roy fun imsel stannin in the chyngin rooms o a local draper's.

"Try em oan, than." Harriet teetit throwe the curtin. "Dinna jist stan ere like a great gowk."

Roy struggilt inte's new keep-fit gear. He teen a step back an studied is reflection in the full-lenth mirror afore ruggin back the curtin te reveal imsel in aa is glory.

"Oh, ay, at's...at's jist perfeck!" Harriet leukit like she wis awa te lach an happit er moo wi er han. "Luvly."

"Oh, ay, it's jist great. Bliddy spot on!" said Roy, turnin back te face the mirror. His hairt sunk it the affa sicht leukin back it im: lang green Argyle socks streetched te meet the nobbly knees at keekit oot aneth the only shorts at wid ging near im – a pair o kich-coloured monstrosities wi a forty-twa inch waist. "You too cud hae a body like ess – an live," he joked, turnin sidewyes, puffin oot is chest an sookin in is belly.

"Stop haudin yersel in like at, ye feel!" Harriet smiled ower it the assistint.

"Oh! At's better," said Roy, luttin aathin go, the fite semmit strainin against is massive middle.

"Ah cud mebbe come wi ye fir ye'r induction, iv ye like." Harriet hid a sympathetic leuk oan er face. "Ah'll see iv Ah can pey fir a singil session – jist te keep ye company. It'll save ye gaun in oan yer ain."

"Ay, fitivver," said Roy, haalin back oan is briks an feelin silently relieved.

*

"Weel, ging awa an git riddy." Harriet gied Roy an encouragin shove in the direction o the Sport's Centre chyngin rooms. "Ah'll see ye inside."

Roy blinkit an leukit aroon the gym: ere wis aa kines o shiny equipment wi folk chaavin awa oan the heid o'em; a young quine touchin er taes an wagglin er dock in the air; an three brainless-leukin muscle maanies liftin wechts an admirin theirsels in the mirrored waas.

"Coooeeee!" Harriet waved an leukit rale excitit es she trottit oot te jine im. "It's a fair place, eh?"

"Ay, great," said Roy, feelin a richt feel in is ull-fittin shorts an semmit. He leukit aroon afore chuncin giein the fingirs te twa teenage loons at war plaistered up against the winda, lachin an pyntin.

"Oh, my Goad, it's Blondie," fuspered Harriet, smilin es the glamorous-leukin quine fae the slimmin club cam bouncin ower te meet em.

"Sae't is." Roy fun is mood liftin es the lassie smiled an said, "Hiya, Roy! Fancy seeing you here!"

"Ah hiv te dee somethin," he said, grinnin an haalin up is shorts. "It's ma laist chunce afore Ah git drummed oot o the dietin."

"You're such fun in class, Roy," said Blondie. "You're always good for a laugh and you've such a cheery face."

"Ay, an it's nae my wyte it leuks like ess, it's jist the dial Ah wis gien. Fin the gweed Lord wis dishin oot chins, Ah thocht he said 'gin' an Ah asked fir a double."

"Oh, Roy! Stop it." Blondie giggilt an leuch afore sayin, "So tell me a bit about yourself. How do you really feel about exercise?"

"Iv Ah'm bein honest, iv Ah ivver git the urge te dee ony, Ah usually lie doon tull it passes."

Blondie giggilt again an Roy addit, "Ah'm sure ere's a thin bodie inside ma at's tryin te git oot – bit Ah can usually sattle im doon wi a fish supper."

"What kind of shape would you say you're in, Roy?"

"Roon, Ah s'pose." He leukit doon it imsel an grinned. "Ma belly button disna jist hae fluff in't – laist wik Ah pulled oot a hale jersey."

"Well, we've got everything here you'll need to get really fit," said Blondie, lachin an rotatin er whippet-like hips. "Step machines, rowers, weights, cross-trainers, treadmills – you name it. You could even join my spinning class."

"The only time ye'll git me spinnin is oan a Setterday nicht," said Roy, pyntin tull is heid.

"Right, then." Blondie pit er hans oan er hips. "That's enough of the fun and chat. Let's get down to some work. Are you ready to get fit?"

"Ah'm riddy an rarin te go!" said Roy, rinnin oan the spot an tryin is best te leuk athletic. "C'mon, than, Harriet. Lut's show er fit wi'r made o!"

*

Hauf-an-oor later, Roy an Harriet war completely jiggert.

"Well, I hope you've both enjoyed the induction session," said Blondie. "And, hopefully, we'll see you here again soon – three times a week is recommended."

Harriet munaged a smile, bit Roy cud only open an shut is moo an mak a funny kinna raspin soun.

"Ging an hae yer shooer an Ah'll see ye in the car," said Harriet, ariddy makkin fir the chyngin rooms.

Roy tirred is claes an hirpled inte the waash room. *It's an affa size o a place. Ere's room fir mair then ae bodie,* he thocht, leukin aroon afore soapin imsel doon an haudin is face up te the watter. An syne he didna ken far te leuk fin twa burly wecht-lifters steed up it either side o im.

He teen a deep breath an mynd aboot the rules o communal waashin: leuk stracht aheid an mak nae convirsation.

"At's the first an laist time Ah set fit in at place," said Roy, makkin is escape an sittin in ower the car. "The strain o haudin in ma belly aboot killt ma. An ye'll nivver believe ess – Ah'd te waash wi twa ither maanies."

"Ay, Ah ken. It's hellish, in't it?" Harriet leukit horrified. "The same happent te me."

"Fit! Wi twa maanies?"

Ere wis a second's silence an syne they baith roart an leuch.

*

"Gweed Goad, Harriet, Ah canna believe at's anither wik in an wi still hivna loast an unce atween's," said Roy, es they cam oot o the Slimmin Club.

"Ah ken, it's a bliddy disgust. Ah jist feel like giein up."

"Oh! Div ye smell at?" said Roy, snuffin the air es they gaed by the Chipper. "Fit aboot treatin wirsels t'a fish supper an syne wi'll stairt afresh again the morn. Or aiven better – firget the hale cairry-oan."

"An ging back te bein fat an happy, eh?" Harriet draggit im awa fae the moo-watterin aroma.

"Wi cud aet it oan the wye hame. Ye ken it disna coont iv ye swally somethin stannin up?"

"Ah'v nivver heard at ane," leuch Harriet. "Lut's git wirsels up the road afore wi wyken."

"Ach, Ah s'pose ye'r richt." Roy sighed an listened tull is belly rummlin. "Bit wi raelly enjoyed wir Chipper's suppers – life's jist nae the same fin ye canna hae fit ye wint."

*

"Ye'r nae awa te yer bed ariddy, ir ye?" Harriet leukit concerned. "Ir ye feelin aricht?"

"Och, it's jist ess slimmin cairry-oan. Iv Ah'm nae gettin onythin else te aet Ah'd bi es weel beddit."

Roy sighed es he sut oan the side o the bed in is socks an draars an leukit it imsel in the lang mirror. Richt enuch, ere wis a lot o room fir improvemint, bit he wis oan the wrang side o fifty – an ye cudna leuk fir muckle.

He rubbit is belly, shruggit is shooders an syne haived is briks ower the exercise bike at wis stannin redundant it the fit o the bed.

"C'mon, Roy, cheer up!"

Roy leukit up es Harriet's face appeart roon the neuk o the bedroom door.

"Lut's bi reckless – live a bittie," she said. "Life's ower short te try an be somethin ye'r nae. Lut's brak oot – flee in the face o gweed advice."

"Ah cudna agree mair," said Roy, instantly cheerin up an tryin te grab haud o er. "Bit fit's at ahin yer back?"

"Patience. Patience." She turnt up ae impty han an syne the tither.

"Dinna mint, mint ere." Roy tried te see fit Harriet wis keepin oot o sicht. "Jist show's fit ye'v gat."

"Ye ken," she said, duncin aboot in front o im, "the slimmin wifie wis richt: wi div need te git wir priorities in order – decide fit wi raelly wint oot o life."

"Ay, ay…bit jist lut ma see fit ye'r hidin!"

"Ye said it wis yer favourite thing in aa the warld." Harriet smiled an produced somethin at made er maan's een licht up an is hairt race.

"Ah'll hae at, ye damnt termint." Roy grabbit er airm an nickit the sirprise oot o er han. "Lut's mak it wir priority te bi fat an happy," he said, haalin a kecklin Harriet in ower the bed an teerin the paper aff is Curly Wurly.

Sandy Symptoms

*Bert wis in hospital aifter a naisty turn an the laist thing he
needit wis a veesit fae Turra's biggest doom an gloom merchant,
Sandy Sangster.*

*Sandy's the kine o bodie fa aye his some compleent or ither.
An iv ye'v somethin ailin ye, he's either hid it afore or hid aa the
same symptoms – hence the nickname, Sandy Symptoms. He
exaggerates aathin at's wrang wi im an blaaws it oot o aa
proportion: iv he's a snottery nib he's pleurisy; an ingrown
taenail cud require major surgery an a blin lump oan is backside
cud eyn up a thing the size o Bennachie.*

"Ay, ay, Herbie, min." Bert grinned it the welcome sicht o'is
veesitor.

"Weel…" Herbie sut doon oan the hospital bed. "Foo's the
patient?"

"Rarin te go. Ah'm gettin oot ess aifterneen."

"Wis't yer gaall blaidder, than?"

"Ay, accordin tull aa the tests an x-rays. Bit Ah'm riggit again
noo – at injection they gied ma fairly did the trick."

"Ir they gaun te dee onythin?"

"No, nae eyvnoo," said Bert, feelin relieved. "Ah'v jist te drap
aa dairy products fae ma diet an try an loase a bittie wecht in
case they ivver need te operate."

"Och, weel, es lang es ye'r feelin a gweed sicht better."

"Ah wis…" Bert noddit it the glaiss doors an gied Herbie a
putt. "Here's Sandy Symptoms comin," he fuspered, finnin is
hairt sinkin an a big black clood githerin abeen is heid. "Sandy's
fine enuch, bit Ah jist dinna ken iv Ah can stamack im the day."

"Fit ivver ye dee dinna speer it im foo *he* is," leuch Herbie,
"or wi'll git the full linga aboot aa is ain ailmints, peels an
potions."

"Ay, ay, min." Sandy liftit is han fin he spottit Bert. "Fit's
wirst, ma maanie?"

"Gaall blaidder."

"Ye'll hiv hid an affa sair bit atween the shooder blades," said Sandy, sittin doon oan the fit o the bed, "an a stabbin pain gaun richt fae yer chest throwe tull yer back."

Bert opened is moo te agree syne shut it again es Sandy teen a deep breath an stairtit tellin im aa aboot is ain troubles.

"Ye canna tell me onythin aboot gaall blaidder. Ah suffert fir ears afore Ah'd it teen oot. Ah'd gaall steens the size o bliddy golf baas."

"It's aa deen throwe laser treatmint an key-hole surgery noo, though," said Herbie. "Ye'd hairdly ken ye'd hid an operation."

"Ay, weel, bit wi the size o gaall steens I hid, yer key-hole surgery wid'v bin nae eese, like. They'd te open ma richt up," said Sandy, haudin oot is airms te show the lenth o the incision. "Ah'v a helluva scar."

"Ah dinna think Ah raelly wintit te ken at." Bert wis feelin a bittie green it the thocht o an operation. "Ah'm nae jist the best at tholin pain."

"Ay, bit eence ye'v hid the things adee wi ye at Ah'v hid, ye'll think naethin aboot a wee bittie o discomfirt. Ah hivna hid the best o luck wi ma health. Ah'm a medical miracle – a waakin case file. In fack, Ah sometimes think Ah ken aboot es muckle es the docters. They'll seen bi comin te me fir advice."

"Ay, mebbe...," said Herbie. "Bit wi'r nae needin te hear aboot aa at the day."

"Fin ye'v hid piles an a hernia like mine," Sandy cairret oan undeterred, "ye'll ken aa aboot pain. An, iv coorse, Ah'v jist recovert fae yon affa time wi ma big tae."

Bert sighed an leent back against the pilla, kennin fit wis comin neest.

"A big tae's a dangerous thing te hae wrang wi ye." Sandy noddit es iv te back up is statemint. "Ye canna tak nae chunces wi a big tae."

"Hae somethin te aet." Bert raxxed ower t'is bedside cabinet an haived a plastic bug o grapes it Sandy in the hope they micht shut im up fir a file.

"Ah shidna raelly bi aetin ess things. Ah'll bi full of win," he said, stappin the grapes inte's moo twa it a time an compleenin aboot is sair back, dodgy ticker an various ither ailmints.

"Win! Ye'll blaaw yersel inte the middle o neest wik." Herbie held up the bare staak. "Ye'v aetin the bliddy lot."

"Ay," said Sandy, grinnin an gearin up t'an in-depth discussion aboot is bowels. "Ah'm a martyr te ma guts. Iv it's nae ae wye it's an ither – in fack, Ah'm terrible bun up cyvnoo."

"HEY! Fa's in the bed here?" said Bert, finally loasin patience. "It's me at's nae weel – nae you!"

"Affa sorry, like." Sandy leukit hurt. "Ah wis jist makkin convirsation."

"Ere's naethin wrang wi 'convirsation'," said Herbie, "jist es lang es it's nae ayewis aboot yersel."

"It wis gweed o ye te come in an see ma, onywye," said Bert, stairtin te feel a bittie aff o'issel fir bein se nippy wi's veesitor. "Wid ye like a sweetie?"

"Ah widna *nae* come in an see ye," said Sandy, coupin the box o Quaality Street onno the bed an raikin throwe fir aa the caramels. "Ah ken Ah cud aye rely oan you iv ere wis ivver onythin wrang wi me – at's fit freens ir fir."

Bert noddit, closed is een an gied a gratefu sigh es veesitin time drew t'an eyn.

*

The neest aifterneen Bert wis back ahin the wheel o'is car wi Herbie in the passenger seat. They war enjoyin a fine wee runnie roon Turra fin they spottit Sandy Symptoms comin up the main street. He wis waakin affa funny an hid a rale sairious expression oan is face.

"Goad sake, leuk it the state o Sandy," said Bert. "He's affa cripple an bowdy-leggit leukin. His piles ir surely giein im jip again. Or it micht bi at *dangerous* big tae."

"Or it's mebbe is famous hernia," leuch Herbie.

"Ah'd better stop – see iv he's aricht, like."

"No!" Herbie teen a haud o the wheel. "Dinna aiven leuk is wye or wi'll bi deaved wi im fir oors."

"Bit Ah canna jist ging by im – he's mebbe raelly nae weel. It micht be somethin sairious."

"Please yersel." Herbie sighed. "Bit iv ye lut im in ower the car, ye'll nivver git redd o im."

'*Ah ken Ah cud aye rely oan you iv ere wis ivver onythin wrang wi me – at's fit freens ir fir*': Sandy's wirds gaed roon an roon inside Bert's heid an he struggilt wi's conscience fir a meenit afore slowin doon an roarin oot the winda, "Fit like, Sandy? Ye'r leukin affa sair made. Can wi gie ye a hurl up the road?"

"Na, na, ye'r aricht!" Sandy stairtit waakin a bittie quicker an didna aiven leuk up.

"Ir ye sure?"

"Leuk! Jist leave ma aleen," he growled. "Ah'll be fine. Ah... Ah jist need te bi masel fir a file. Ah... Ah'm nae in the humour fir company."

"Goad Almichty." Herbie leukit concerned. "At's nae like Sandy. Ere's naethin he likes better then a captive aadience te tell aa is troubles tull."

"Ay, richt enuch." Bert nodded. "Leuk it im yisterday: mumphin an girnin aboot aathin at's adee wi im an hammin inte aa ma grapes. An, noo, here he is missin a chunce fir anither moan an passin up a lift, tee."

"Ay, ere's somethin funny. Ah think ye shid drive roon the block an spik t'im again."

"At's fit Ah'll dee. Ah ken he's a pain in the erse bit Ah widna like te see onythin come ower the aul divvel."

"Haud oan, wull ye, min!" Bert drove alangside Sandy fa wis hirplin alang the pavemint wi's heid held doon. "Me an Herbie's nae pleased wi ye ava – ye'r aa te hell aboot the feet."

Sandy keepit is heid doon an didna spik.

"Herbie thocht it wis mebbe yer hernia... an Ah thocht it wis mebbe yer piles playin ye up again... or aiven yon big tae."

"An Ah thocht it wis win," said Sandy, hobblin awa up the street. "Leuks like wi war aa wrang."

Cock o the North

"It's nae damnt eese te ye lyin in a draar," raged Jock. "Ye'v te persevere wi the bliddy thing."

"Ay, bit it's nae you at's te weer't." Ina faaled er airms an leukit annoyed. "It's nae comfy; it disna wirk richt an...an Ah jist dinna like it."

Jock steed up an gaed ower te the draar, teen oot a wee black boxie an shoved it aneth er nib. "A hearin aid shid bi in yer lug, nae in ere."

"It's aa richt fir you te say," protestit Ina. "Ah can hear a preen drap it the ither side o a room. Bit yet, fin Ah'm sittin in company, Ah canna mak oot a wird onybody's sayin."

"Ah still think ye shid bi makkin a bit mair effort wi't. Ah'v sympathy wi onybody at's deef, bit nae fir em at winna help themsels. Ye ken the kine o trouble ye'v gat yersel in ariddy wi gettin things roon the wrang road and only pickin up hauf the story."

"It's jist at Ah canna git eesed te weerin't."

"Ir ye sure it's nae at ye'r ower prood – feart yer pals'll think ye'r an aul wifie."

"Spikkin o pals," said Ina, ignorin er maan's accusations, "Carol phoned jist afore ye cam in. She speered iv wi funcied gaun tull a nicht oot ess Friday... Ah said wi wid."

"Ach, ye didna..."

"Ah did. Wi hivna bin oot fir lang enuch an it's a charity thing. Ah think it'll bi a gweed lach...ere's jist ae thing ye michtna bi se keen oan."

"Fit?"

"Carol said aabody's te pit oan funcy dress." Ina gied a nervous smile. "She said she'd bi gaun es a bear."

"Carol can say fit the hell she likes, bit Ah'm nae gaun in nae funcy dress," said Jock. "An at's an eyn tull't."

*

Jock sighed an leukit aroon the Funcy Dress Hire shop: ere wis raas an raas o aa differint kines o ootfits; scary-leukin masks;

wigs o ilky colour – curly an stracht; an a coonter fair chokit fu wi aa kinna joke-shop stuff.

"Leuk it aa ess!" He examined the bottles o fake bleed an itchin pooder afore pickin up a fartin cushion an a plastic dog's shite – complete wi a big, fat bluebottle.

"Nivver myn at," said Ina, takkin a nursie's uniform aff the rail an haudin it up against er. "Fit d'ye think o ess?"

"It's rale tucky, in't it?"

"Weel, fit aboot ess, than?" She teen doon anither twa ootfits. "You cud ging es a cowboy an Ah'll bi yer cowgirl."

"Mmm…" Jock studied the leather chaps, waistcoat an stetson afore firin the toy gun it Ina's heid. "At's mebbe nae se baad."

"Can I help?" A plooky-faced loon cam throwe fae the back shop.

"Weel, wi quite funcied the cowboy an cowgirl ootfits," said Ina, puttin Jock in the back. "Didn't wi?"

"Ay…ay…" Jock did is best te leuk enthusiastic.

"When do you need the costumes for?"

"The morn's nicht," said Ina, swingin the lassoo aroon er heid an shoutin, "Yeee-haaa!"

"Oh! I see." The laddie leukit apologetic. "Ah'm sorry but most of the outfits you can see are already being hired out over the weekend. We don't have a huge stock and you really need to book."

"Och, weel, sorry te hiv bothered ye." Jock tittit the lassoo oot o Ina's han an fun a smile o relief streetchin ower is face. "Wi'll jist hiv te firget aboot it."

"Just a minute," said the assistint, disappearin throwe a curtain made o sparkly blue beads. "If it's matching outfits you're looking for, I may have something through the back you'd be interested in."

Twa meenits later, Jock's een aboot poppit oot o'is heid es the loon reappeart wi twa bricht yalla ootfits.

"It's a cockerel and a hen," he said, haudin up the feddered costumes.

Jock stared it the hen an syne the cockerel wi its reed rubber cock's comb, its muckle orange feet an its gapin beak. "Ah can see bliddy fine fit it is," he said, turnin te leuk it Ina, "bit Ah'm tellin ye noo at Ah'm nae gaun te bi weerin't."

*

"Wi leuk like richt eediots," grummled Jock, es him an Ina sut in the back o the taxi oan the wye te the charity nicht.

"Ye leuk rare." Ina streetched ower an tuggit is cock's comb. "Ah ken fit Ah'll caa ye – the Cock o the North," she said, pittin a feddered airm aroon is shooders.

"Aabody'll bi ere ariddy. It teen ma as lang te git in ower ess bliddy suit," said Jock, leenin forrit in is seat an peyin the smirkin taxi driver.

"Hurry up, than." Ina gaed sclappin up the hotel steps.

Jock follaed er, strugglin te git is ootfit throwe the revolvin door.

"It's ess wye. The charity nicht's in the main baallroom." Ina pyntit it a notice an they baith teen aff in a flurry o yalla fedders, their muckle orange feet plappin against the carpet.

"Hiv ye in yer hearin aid?" speered Jock, es they steed ootside the baallroom's big double doors.

"Ere wisna muckle pynt." Ina pattit er hen's heid. "Nae fin Ah'm weerin ess."

"Ye'll still hae te spik te folk. Oh…Ah gie up, bit Ah'm waarnin ye, Ina, iv ye git yersel in ony trouble the nicht, Ah'm nae hingin aboot te bail ye oot. Ye'll jist hiv te learn the hard wye."

"Och, wheest." Ina pushed open baith doors. "Fit cud ging wrang?"

"*Ina*," hissed Jock, glaid o the cock's heid at wis hidin is burnin face es he peered it the assembled company throwe the gap in is beak. Aabody wis seatit it big roon tables; the weemin hid oan lang evenin frocks an the maanies war weerin either denner suits or full Heelan dress.

The buzz o convirsation siddenly stoppit es aabody turnt te leuk it the late arrivals.

"BLIDDY HELL!" Jock haaled Ina back oot inte the lobby an stormed aff in a blin fury, the swing doors flappin an the soun o lachter ringin in is lugs.

"Fit'r you twa weerin?"

Jock turnt te see Ina's pal, Carol, comin rinnin ower the lobby, leukin like she wis tryin er best te keep a stracht face. "Oh, Ina!" she said, happin er moo wi a han. "Fit div ye leuk like?"

"Oh! Lord." Ina pyntit it er pal's glitterin evenin goon. "Leuks like Ah'v gat it wrang again. Ah…Ah thocht ye said aabody hid te pit oan funcy dress – an at you'd bi gaun es a bear."

"No, Ah didna," giggilt Carol. "Ah said, 'Pit oan *a* funcy dress – it's gaun te bi aa formal wear.'"

"INA!" shoutit Jock. "Ess time ye'v raelly gaed ower far."

"Dinna bi like at." Ina teen a haud o'is airm an leukit like she wis awa te greet. "Ah'm sorry, Ah raelly am. Wi'll lach aboot ess fin wi baith calm doon."

"Ah'm in ower muckle o a rage te aiven *think* aboot lachin," fumed Jock, ruggin the hen's heid clean aff er ootfit.

"Dinna bi se roch. Ye near haaled ma bliddy heid aff." Ina gied Jock a shove an he landit smack oan is backside wi's legs in the air, is cock's comb wobblin like a big reed jeely.

"INA!" Jock cried again. He scrabbled tull is feet an powkit is partner in er weel-paddit breest, steerin up a great clood o yalla fedders. An noo he wis in sic a temper he wis obleevious te the crood o folk at hid githered te waatch the twa colossal chuckens fechtin in the foyer.

"Ah waarned ye, Ina. Ah'm nae hingin aboot te be shown up bi you." Jock leukit aroon es he dustit imsel doon an made fir the entrance. "Ye can git hame ony damnt wye ye like."

"Oh, me! Leuks like the Cock o the North's spittin fedders," said Ina, tryin te lichten the mood.

"Ay, your Jock's fairly in a *fowl* humour," agreet Carol.

"Shaddup, Carol!" roart Jock, turnin an pullin the heid aff is costume es he squeezed issel oot throwe the revolvin doors. "An you, Ina, ye deef aul bat, can jist…jist CLUCK OFF!"

Better the Divvel ye Ken

"Ye phoned an did fit?"

"It's only an appintmint." Wilma leukit it er maan, Kenny. "Fit hairm can it dee? Things cud hairdly bi ony wirse."

"Fan is't?"

"Ess aifterneen," said Wilma, avoidin is een. "Ah cudna tell ye ony seener – ye'd hiv fun a wye o wrigglin oot o't."

"Fit the hell maks ye think Ah wint te spik t'a Mairrage Coonsellor? Ah dinna wint aa an sundry kennin ma buzness." Kenny faaled is airms. "Wi'll jist hiv te learn te faa oot an faa tee again. Na, na…Ah'll deal wi ma problims in ma ain style."

"At'll bi in true North-east style, than, is't?"

"Fit d'ye mean bi at?"

"Bottlin aathin up raither then spikkin aboot it – makkin oan it's nae happenin."

"Exackly!"

Wilma felt er hairt sink: Kenny wis es thraan es the day wis lang. "Ah'v jist bookit the ae session – jist'r wi see foo it gangs, like. An it's nae caaed Mairrage Coonsellin noo." She pyntit te the appintmint caird in er han. "It's 'Couple Counselling'. The wifie's s'post te bi affa nice an aa she wints te dee is hae a wee news wi's aboot foo wi'v bin gettin oan."

"An fit differince wull spikkin mak?"

"Weel, it'll mak a chynge – wi hairdly ivver spik aboot onythin. Div ye nae see at wi'r driftin apairt?"

"Driftin apairt! Foo wid you ken? Ye'r hairdly ivver here. Ye'r aye oan the haik wi folk fae yer wirk," compleent Kenny. "At new job wis the wirst meeve ye ivver made," he addit, giein er an accusin glower.

"Dinna leuk it ma like at – ye'r makkin ma feel like Ah'v deen somethin wrang."

"An hiv ye?"

"Ah'm nae aiven gaun te unnser at." Wilma sighed. "Ye'v bin queer-humoured wi ma fir months. An fin wi div spik ye jist dee yer usual – mak a bliddy joke o aathin."

"Ye eence telt ma it wis ma sinse o humour at ye likit."
Kenny leukit offendit. "An wis it nae you at said it's the lachter
at keeps a mairrage thegither efter the first flush o romunce flees
oot the winda?"

"Ay, Ah did...bit some o the things ye'v bin sayin es file ir
raelly gettin te ma. Ye'r differint – ere's a coorseness – a
naistyness tull ye."

Kenny opened is moo te spik syne shut it again, an Wilma
thocht she saa a flicker o emotion oan is face. "Ah ken ye dinna
like te tak things ower sairiously, bit the problim is...," she said,
tryin nae te greet, "....is at Ah jist dinna think ye'r funny ony
mair. Ah eesed te feel like ye war lachin wi ma, nae it ma."

*

"Ir ye riddy?" Wilma steed up ootside the Coonsellor's in a
funcy pairt o Aiberdeen.

"Weel, Ah'm nae here fir the gweed o ma health, am Ah?"
Kenny snibbit is fag an hottered aboot oan the tap step.

Wilma opened the hivvy oak door, blinkin es she steppit oot o
the licht an inte a lang, gloomy lobby. Her gaze meeved ower the
brass name plates oan the doors.

"Here wi go – Thelma Fitzwrang." Wilma maatched er
appintmint caird wi the name oan the door. "Mr an Mrs Bruce fir
three o'clock," she said, pressin a button oan the intercom.

A bizzin soun fullt the nairra corridor es Wilma pushed open
the door, a reluctint Kenny trailin ahin.

"Take a seat." The receptionist noddit it the funcy reed leather
settee an cheers.

"At's affa gweed o ye." Kenny grinned. "The missus is aye
roarin aboot a new suite."

Wilma's face wis burnin es the receptionist ignored im an
cairriet oan wi er wirk. "Hiv ye gat te crack a joke aboot aathin?"
she said, es they baith sut doon.

"Wilma!" Kenny gied er a powk in the ribs es the slidy leather
settee made a lood fartin soun.

Wilma flickit throwe the pile o glossy magazines oan the table
afore openin ane an pyntin it an article aboot romunce in

mairrage. The title read: *Do you remember the first time you made love to your wife?*

"Ah canna aiven myn the last time," said Kenny. "Leuk it ess ane." He jabbit a fingir it a heidin faarer doon the page an read oot: "Do you always practise safe sex?"

"*Sshh.*" Wilma glowered it im. "Dinna spik se lood."

"Ah wis jist gaun te say at Ah definitely div – ony time Ah try't oan, Ah can *safely* say at you'll say 'no'."

Kenny wis leukin rale tickled bi is ain razir-sharp wit fin an inner door opened an a quine wi er hair pulled back in a ponytail cam oot. She peered ower the tap o a pair o funcy designir glaisses afore stickin oot a han an introducin ersel:

"I'm Thelma Fitzwrang." She shook hans wi em baith an said, "Just follow me and we'll get started with the session."

Wilma stared it the Coonsellor wifie: she leukit aboot ages wi their ain dother an she winnert fit she cud possibly ken aboot the problms o a twinty-sax-ear-aul mairrage turnt soor.

"Your wife's already given me a brief outline of some of the difficulties you've been experiencing." Thelma Fitzwrang smiled it Wilma an syne it Kenny.

Wilma's hairt sunk fin she saa Kenny faal is airms an a familiar thraan leuk daarken is dial.

"Sometimes when a couple have been married a long time, it's easy for them to forget why they got together in the first place. They can begin to take each other for granted and feel that they are drifting apart. And sometimes, as the years go by, insecurities develop; jealousies arise from seemingly innocent situations and fears about ageing and becoming less desirable to our partner come to the fore."

Wilma turnt te Kenny fa wis squirmin in is seat.

"Do any of these problems ring a bell for either of you?" speered the Coonsellor.

"Neen o'em," said Kenny. "An Ah'v nae idea foo Ah'm here."

"So, you're telling me you're happy enough, then?"

"Ah'm nae *unhappy.*"

"Lately, Ah'v stairtit te winner iv wi only bid thegither cis o the kids," sniffit Wilma, dichtin er een an feelin frustratit at Kenny wisna makkin ony effort wi the wifie.

"Ay, at's richt," he said wi a lach. "Neen o's wintit custody o'em."

"Going back to what I said earlier," said the Coonsellor, "do you remember why you got married?"

"Michty, ay!" said Kenny. "Ah'll bi the first te admit at Ah mairret Wilma fir er leuks – bit nae the anes she's bin giein ma lately."

Wilma treatit im t'anither gweed glower.

"Ye ken, it's a funny thing mairrage," said Kenny. "Fin ye'r first mairret the pet names ye caa yer wife ir aye sma beasties – ma wee chucken, ma bunny rubbit. An syne, es time gings by, the beasts git bigger." He grinned. "Ye muckle heif – "

"Ah'v loast a lot o wecht recently," interruptit Wilma. "An Ah canna believe at's fit Ah still git compared tull. He'd aiven the chik te tell ma at fit hid cam aff ma hips hid gaed onte ma heid."

"A bit of appreciation into how much effort has gone into Wilma's weight loss wouldn't go amiss." The Coonsellor leukit like she wis rinnin oot o patience.

"It's nae jist at, though," Wilma gied a sigh, "it's the little things – like some'dy openin the car door fir ye."

"Huh!" snortit Kenny. "In my opeenion, fin Ah maan dis at, it's either the wife at's new or the motir."

Thelma Fitzwrang liftit er eebroos an leukit it Kenny an syne it Wilma afore sayin, "Now, if you don't mind me asking – what are your relations like?"

"A richt pain in the erse." Kenny leent forrit in is seat. "Wilma's mither's nivver aff the step."

"I'm referring to your personal marital relations."

"Oh, weel, Ah'v aye tried ma best te keep things interestin an varied in the bedroom departmint." Kenny winkit it the Coonsellor. "Ah lie oan the richt han side o the bed oan Sundays, Mondays and Tuesdays, an syne the left han side oan

Widnesdays an Thursdays. An syne, jist fir a thrill, Ah jump aff the heid o the waardrobe oan a Friday an Setterday nicht."

"Kenny!" Wilma hung er heid, finnin the colour risin in er chiks es she unnsered the wifie's question. "Things... things'r nae fit the eesed te bi."

"And is there any way you think that could be improved?"

"Sayin 'ay' noo an again wid bi a stairt," leuch Kenny.

"And what about you, Wilma." The Coonsellor gied er an incouragin smile. "What changes would you like to see?"

"Ah'd... Ah'd like it iv ma maan wis a bittie mair romuntic."

"Hey, c'mon noo, at's hairdly fair." Kenny sut up. "Fit aboot Widnesday nicht? Ah speered iv ye funcied a waak in the meenlicht."

"Ay, at's true – he did." Wilma ignored er better hauf an leukit it Thelma Fitzwrang. "Bit fin Ah said Ah'd like at, he telt ma it wis my turn te waak the dug." She gied er heid a shak. "Iv he'd show ma aiven a quaarter o the attintion he gies at beast, Ah'd bi mair then delightit. Ah sometimes winner iv he thinks mair o the bliddy dug then me."

"Ay, weel," said Kenny. "At's mebbe hairdly sirprisin, seein es the main differince atween a wife an a dug is at efter the first ear, the dug's still pleased te see ye."

"Kenny! Wull ye jist stop it?"

"Sairiously, though, Ah hope ye'r nae expeckin ma te decide atween yis. Cis Ah can tell ye noo – Ah'd bi strugglin."

"What some men don't realise," said the Coonsellor, "is that the things that are said, and the way we treat each other during the course of the day, can have a direct bearing on what happens between the sheets at night."

Wilma noddit an glared it Kenny. "A bittie o respeck wid ging a lang wye. An Ah files think at a mairrage certificate is jist anither name fir a wirk permit – Ah dee aathin fir ye."

"Weel, it's like Ah aye say: ere's little pynt in haein a dug an barkin yersel."

Thelma Fitzwrang teen a deep breath an cairriet oan wi er questionin:

"What I'd like you to do now is to take it in turns to tell each other about your good points: the things you like and admire about each other." She smiled. "You go first, Wilma."

"Weel, he's aye bin a gweed provider…he's aye leukit efter me an the bairns. An…he maks ma lach…," she hesitatit afore addin, "…eesed te mak ma lach."

"Good, Wilma. Now that's a start. What about you, Kenny? Can you say something positive about Wilma?"

"Ay, at's easy." He grinned. "She's gat fine little feet – luts er richt in aboot tull the sink."

"Do you really need to make a joke of everything?" The Coonsellor leent back in er cheer.

Kenny leukit fair uncomfortible es the wifie fixed im wi a steely ee.

"Sometimes we use humour to mask how we really feel about things. It's a classic avoidance technique we employ when we don't want to confront our issues and discuss them properly."

"Fin Wilma says she wints te spik at jist means she wints te compleen."

"Talking's good you know, Kenny." Thelma Fitzwrang scribbilt somethin doon in er notebook. "It's healthy to be able to open up and have a full and frank discussion."

"Iv ye ask me, ess 'discussin things' cairry-oan's overrated. An, onywye, it only eyns up in anither bliddy fecht. Argiein wi a wummin bodie's a waste o time – ye'll nivver git the better o'em – they thrive oan trouble. It's like wrestlin wi a pig in the dubs: efter a file ye realise at you'r the ane at's gettin fool, an the pig's actually enjoyin't."

Wilma bit doon oan er boddom lip an dug er nails inte the palms o er hans: Kenny wis makkin a feel o er an she wis luttin im awa wi't. Her hairt wis haimmerin inside er chest an het tears war prickin it er een.

Bit syne, t'er sirprise, at defeatit feelin wis replaced bi a fire in er belly an the unexpecktit discovery o a back been. Thelma Fitzwrang's face disappeart in a reed mist es aa Wilma's festerin resentmints cam bubblin te the tap like scum in a berry pan.

"Ah wis a bliddy feel fin Ah mairret you!" she roart, firgettin the wifie wis ere. "Ah shid hiv listened te ma mither."

"Ay...ay, at's richt...ye wis." Kenny leukit a bittie teen aback bi Wilma's sidden ootburst. "Bit Ah wis as teen wi ye Ah nivver noticed!"

"Arrgh! Fir Goad's sake, wull ye jist stop jokin fir a meenit an listen te ma?"

"Fir awa, than. Ah'm aa lugs."

"Bein mairret te you's nivver bin perfeck, bit it least wi hid a lach."

"Fit...fit'r ye sayin?"

"Fit Ah'm sayin is at life wi you's like stokin the fires o hell – an Ah'm sick scunnert shovellin coal." Wilma wis shakkin, bit the floodgates war open an ere wis nae gaun back. "Lately ye'v bin a richt pain in the erse – ye nivver stop girnin an pickin fault wi's – an Ah'v hid jist aboot es muckle es Ah can thole o't."

The neest twa meenits gaed by in silence, the soun o the clock's tickin fullin the office.

"Ah'm sorry!" Wilma evintually leukit up it Thelma Fitzwrang an burst oot greetin, pairtly throwe relief an pairtly throwe embarrassmint. "Weel, far div wi ging fae here?" she said, dichtin er een oan er sleeve.

"Hame." Kenny steed up an ruggit oan is jaicket. "Ah'm nae hingin aboot te bi made a monkey o."

"Well, I can't stop you walking away from your problems." Thelma Fitzwrang tappit the eyn o er pincil oan the desk afore sayin, "But if I'm being honest, I don't think you want to improve things."

"Ay, Ah div!" Kenny turnt oan er, sounin offendit.

"Ye canna jist write's aff like at." Wilma fun a kinna panic risin inside er. "Wi'r here te bi helpit."

"And I'm here to act as a mediator, but there's nothing I've seen or heard today that's convinced me that you are anything but unsuited – incompatible in the extreme. I think that perhaps you should be thinking about a separation....or even a divorce."

"A divorce..." Wilma stared it the wifie in disbelief. "Is at nae a bittie drastic kine?"

"An fit maks ye come t'a conclusion like at?" Kenny leukit amazed it the Coonsellor's verdick.

"Well," she studied er notes, "on a basic level, you don't seem to have a kind word to say about each other. And I don't know if there's any love left between you, or if it's only pity that's keeping you together."

"Peety at's keepin's thegither!" repeatit Kenny, is fizzer like a turkey cock. "Efter twinty sax ear surely ere's mair atween's then at. An, onywye, fit the hell div you ken aboot foo I feel?"

"Good point! I've got no idea how you feel and, more importantly, neither has your wife – because you can't or *won't* tell her."

"Hey! Git aff is back," said Wilma, sirprisin ersel bi loupin te Kenny's defince. "Ah ken ma maan's nae perfeck, an he may bi a waste o space – bit he's my waste o space. An Ah dinna myn miscaain im bit dinna you stairt, lady."

"Ay, shaddup," said Kenny. "Ah'm nae takkin advice fae a quine fa's young enuch te bi ma dother. Ah'v things in ma fridge auler then you."

"There's no need to be like that, Mr Bruce." The Coonsellor wifie made some mair notes. "I'm only giving you both my professional opinion based on what I've witnessed here today."

"Ay, ay...Ah ken..." Wilma sighed, er ill-naitur disappearin. "Bit divorce..."

"They'll bi nae divorce." Kenny sut back doon an held is heid in is hans, the wirds comin tummlin oot. "Iv Ah hid ma life te live ower again, Ah'd still mairry you, Wilma, bit somethin's chynged. An...an Ah'm feart te spik aboot fit's wrang in case Ah dinna like fit Ah hear..."

"Tell ma fit's adee. Ah'm tired o playin guessin games, Kenny." Wilma pit a han oan is airm. "Lut's spik aboot it."

"It's you, Wilma..." Kenny teen a deep breath an leukit up it er, is face siddenly daithly sairious. "Wi yer slimmed-doon figir an yer chynge o job, it feels like ye'v a hale new life at's gat naethin te dee wi me." He hesitatit an leukit a bittie affrontit. "Ah feel like Ah'm bein left ahin in the stew. An Ah'm winnerin foo lang it'll bi afore ye tak a funcy te some of yon laads fae yer office – iv it hisna happent ariddy."

"Oh, Kenny, Ah canna believe ye'v bin wirryin yersel aboot at." Wilma gied er heid a shak an teen a haud o'is han. "Fit a pair o feels wi'v bin – Ah'v bin winnerin iv you'd mebbe some'dy oan the side an aa."

"Nivver!" Kenny munuged a smile es he addit, "Fa wid bi interestit in me?"

"*I* am," said Wilma, tears rinnin doon er face es she leukit inte Kenny's een an saa the bashfu young loon she'd faan fir aa thon ears ago.

"Ah ken Ah'm nae the easiest bodie te bide wi," he said, pullin a clean hunkie oot o'is pooch an giein it te Wilma. "An Ah'm nae gweed it romunce an showin ma feelins an aa at kinna stuff. Bit at's jist me – Ah mak a joke o aathin, an Ah dinna think Ah can chynge."

"Ah dinna wint ye te chynge. Ah widna hae ye ony ither wye."

Wilma leukit up it Thelma Fitzwrang an winnert iv she'd ingineered ess ootcome wi er shock tactics, or iv it hid happent aa bi itsel. Bit she jist noddit incouragingly, er expression giein naethin awa.

"Let's git oot o here, than." Kenny leukit siddenly uncomfortible. "Wi dinna need ony o ess Coonsellin cairry-oan. Dinna git ma wrang, like. Ah'm richt glaid wi'v sortit things oot," he said, stannin up an leenin oan the wifie's desk.

"Just as long as you both feel you've come to some kind of understanding." The Coonsellor smiled. "And you're sure that staying together's really what you both want."

"Oh, ay, it is," said Kenny, the chiky smirk comin back tull is face. "An onywye…Ah cudna stan the thocht o a custody battle ower the dug."

Wilma gied a sigh o resignation: Kenny cudna resist makkin a joke oot o aathin. The differince wis at noo she wis lachin wi im again…jist like she'd ayewis deen. An noo she kent he still felt the same wye aboot her es she felt aboot him, she cud pit up wi jist aboot onythin.

"So you won't be requiring another session?" speered Thelma Fitzwrang.

"Na, na, quine. Wi'll bi aricht noo." Kenny liftit a han oan is wye oot.

"Better the divvel ye ken," said Wilma, hustlin im throwe the door. "An ere's naebody kens ess aul divvel better nor me."

Dougie dis the Buzness

"Bit Ah raelly wint ye te bi ere, Dougie." Alice teen a haud o er maan's airm. "Ah wint ye te share the hale experience wi ma."

"Ah... Ah'm nae se sure aboot at, like." Dougie felt sick te the stamack it the verra thocht o Alice giein birth. "Ah think it wis better in the aul days fin faithers paced up an doon the corridor, smokit a cigar an syne cam back in fin aathin wis by."

"Ye didna myn bein ere fir the fun bit." Alice squeezed is han an smiled. "Se ye can jist see't throwe tull the bitter eyn."

"Ye ken Ah'd *like* te bi ere."

"Iv coorse ye wid – ye ken the struggle wi'v hid te hae ess little ane. Wi maun hiv tried aboot fifty times afore Ah fell pregnant."

"Ay," jokit Dougie, massagin is back. "At wis a fair wik-en!"

"Dougie!" Alice pattit er bump. "Wi'll hae nae mair o at orra spik in front o junior."

"Ah'm gaun te bi the best dad in the warld," said Dougie, feelin es prood es punch es he pit a han oan Alice's belly an felt the bairn kick.

"Ere's nae doot aboot at. An ye can stairt bi promisin ye'll bi ere it the birth. Ye'v anither hale fortnicht te gear yersel up tull't – ye'll munage fine."

"Bit ye ken foo Ah am with hospitals or onythin te dee wi medical stuff. Ah canna cope wi the stress o't aa – Ah ging fair hich an eyn up sayin somethin raelly gleckit an sounin like Ah'm a bittie wintin. An Ah jist canna think stracht fin Ah'm in a panic – ma brain turns te mince."

"Fa's gaun te bi wirried fit ye say?"

"Bit it's nae jist at..." Dougie chaaed is thoomnail. "Fit iv Ah fooner an keel ower like Ah usually div? Myn fit happent it the Bleed Donors fin the nursie teen the bleed fae the pynt o ma fingir? Ah wis flat oan ma face afore Ah kent far Ah wis."

"Fit'r ye like?" Alice grinned. "Ere's naethin te giein bleed – ye'd jist felt a wee prick."

"A wee prick? Ah felt like a complete erse!"

They baith leuch, an syne Alice said, "Yon's fit's caaed a hysterical faint. The docter telt ye at. It's jist the bodie's wye o gettin awa fae a situation it disna like. An at's nae gaun te happen wi the baby. It'll be a gweed experience – somethin ye'r leukin forrit tull."

"Ay, Ah ken, bit Ah jist dinna wint te mak a feel o masel an git in the road. Myn fin wi waatched the birthin video it yer antenatal classes? Ah konkit oot fin the bairn's heid appeart."

"Weel, mebbe iv ye bide awa fae the buzness eyn o things, ye'll be fine."

"Ay...wi'll see." Dougie sighed afore speerin, "Wull ye bi aricht yersel fir a file? Ah funcy a pint."

"Git oot o ma sicht," leuch Alice. "Ye'r mair wirried aboot ess birth then I am."

*

Dougie wis stannin enjoyin is third pint fin is mobile bleepit.

"Oh, fir the luv o Goad!" He stared doon it the text message: *I've started. Come home. Quick.*

"SHE'S STARTIT!" roart Dougie, finnin the swate brakkin oot aneth is oxters es he slammed is glaiss doon oan the bar. "Ah'v te git hame. Quick!"

Dougie ran aa the wye hame an, fin he arrived, the front door wis stannin wide te the waa. A fite-faced Alice wis haudin ontull er belly an groanin es she paced atween the rooms an up an doon the lobby.

"Ma watters'v broken, an it disna feel like ere's muckle time te waste," she said, leukin like she wis awa te greet. "It's aa happenin se faist – Ah think wi shid git inte the hospital."

"Bit Ah *canna* tak ye! Ah'v bin drinkin."

"Weel, phone an ambulance, than. Dinna jist stan ere!"

Dougie's hans war shakkin es he dialled 999 an wytit fir an unnser.

"Emergency Services. Which Service do you require?"

"Ay...ay...ess is Dougie Kennedy, 19 Main Street, Kemnay, an Ah'm needin an ambulance. Ah...Ah'v some'dy here haein a baby an she canna haud it in muckle langer."

"*Don't worry, Mr Kennedy, an ambulance will be with you as soon as possible,*" said the operator wifie. "*How long is there between contractions?*"

"We…we…weel," stammert Dougie. "She's hid ane in the bedroom an noo she's hid ane in the kitchen – se at's…at's aboot fifteen fit."

"*Listen carefully,*" said the wifie. "*I'm going to put you on hold while I order the ambulance.*"

"Shid Ah rin an git het watter an tools, or fit?"

"*Just stay with the patient and try to reassure her.*"

"AH FEEL LIKE PUSHIN!" shoutit Alice. "OH! OH!"

"Fir Christ's sake, dinna dee at!" Dougie hottered aboot fae ae fit te the tither. "Hey! Hey! Operator! Ir ye aye oan the line?" he cried, finnin is bleed pressure risin an a funny kinna whoosin soun fullin is lugs es he wis met wi silence. He haived doon the phone an did is best te git Alice comfy oan the settee – leavin im nae option bit te atten te the buzness eyn o things.

"AH'M PUSHIN!" Alice wis makkin a terrible soun an haudin Dougie's han in a vice-like grip.

"Ye'r hurtin ma," he compleent, screwin up is face es is waddin ring cut inte's fingir.

"Lie doon here, boy!" growled Alice, haalin im bi the neck o'is jersey. "An Ah'll show ye fit sair is!"

"*Mr Kennedy? Mr Kennedy? Are you still there?*"

"Ay, ay, Ah'm aye here," said Dougie, munagin te streetch ower an pick the phone aff the fleer. "Far's at ambulance?"

"*It's on its way. Just try to keep calm. Stay on the line and I'll get some more details from you.*"

"Ere's nae time fir bliddy details," said Dougie, is legs bucklin es the bairn's heid siddenly appeart an the paramedics burst throwe the open door.

"*Is this her first child?*" speered the wifie fae Emergency Services.

"NO! YE EEDIOT!" roart Dougie, jist afore he faintit. "Ess is er maan spikkin!"